PRO

Collectio

La Peste
(1947)
ALBERT CAMUS

BERNARD ALLUIN
Agrégé de Lettres classiques
Docteur ès Lettres
Professeur à l'université de Lille III

SOMMAIRE

© HATIER, PARIS, 1996   ISSN : 0750-2516   ISBN : 978-2-218-74075-6

Les indications de pages renvoient à l'édition Gallimard de
La Peste, collection « Folio », n° 42.

Fiche profil

La Peste (1947)

ALBERT CAMUS
(1913-1960)

ROMAN
XXe SIÈCLE

RÉSUMÉ

Un narrateur se propose de raconter-des événements surgis à Oran dans les années 1940. Le 16 avril, le docteur Rieux trouve un rat mort dans son escalier ; c'est le début d'une série de découvertes d'autres rats morts, prélude à la mort de malades de plus en plus nombreux. On finit par identifier la peste et les autorités ordonnent de fermer la ville qui va être ainsi coupée du monde.

Le docteur Rieux va lutter quotidiennement contre le fléau, aidé en cela par des volontaires avec qui il vient plus ou moins de faire connaissance.

La vie des Oranais va changer. Nombre d'entre eux deviennent des « séparés » qui souffrent de l'absence d'une femme, d'un père, d'un enfant que, prisonniers dans leur ville, ils ne peuvent rejoindre.

Malgré les efforts accomplis, les morts sont de plus en plus nombreuses : l'une des plus frappantes est celle d'un enfant, le fils de M. Othon. Mort d'un innocent qui donne lieu à des réactions indignées du docteur Rieux face à un monde où peuvent souffrir des innocents. Le roman rend compte, au fil de l'action, de l'attitude des personnages principaux face à la peste.

La lutte semble vaine malgré les efforts du docteur Castel qui met au point un vaccin. Pourtant celui-ci semble donner quelques résultats. En tout cas, neuf mois après le début du récit, la peste recule. Puis on ouvre les portes de la ville : la peste est vaincue. Rieux a perdu sa femme (morte de tuberculose en montagne) et son ami Tarrou (atteint in extremis par la peste). La ville libérée exulte de joie. Mais le bacille de la peste risque de réapparaître un jour.

PERSONNAGES PRINCIPAUX

– **Bernard Rieux** : personnage central du roman. Médecin, il lutte sans relâche contre la peste ; il souffre de l'éloignement de sa femme partie se soigner en montagne. A la fin du livre, on découvre qu'il est le narrateur du récit.

– **Jean Tarrou** : venant d'arriver à Oran, il choisit très vite d'aider Rieux et devient son ami. Personnage essentiel sur le plan de la conduite du récit et de l'expression des idées, il meurt à la fin du livre.

– Joseph Grand : modeste employé municipal, il se consacre, le soir, à l'écriture d'un roman ; ce qui ne l'empêchera pas de contribuer à la lutte contre le fléau.

– Raymond Rambert : journaliste parisien, il entreprend de nombreuses et longues démarches pour quitter la ville et rejoindre la femme qu'il aime. Près d'aboutir, il renonce pour aider Rieux et ne retrouvera sa compagne qu'au dernier chapitre.

– Cottard : rentier, il tente de se suicider au début du roman. Coupable de certains méfaits, il est arrêté à la fin du livre. Il représente ceux qui profitent de la peste.

– Le père Paneloux : jésuite, il prononce, à propos de la peste, deux prêches de tonalités différentes. Les épreuves le font évoluer.

– Le juge Othon : juge d'instruction, il se montre toujours froid et rigoureux. La mort de son petit garçon l'incite à aider Rieux dans sa lutte contre la peste : il devient alors plus « humain ».

THÈMES

1. Éléments et intérêt de la « chronique ».
2. La création d'un mythe.
3. Le langage.
4. L'héroïsme.
5. Absurde et révolte.

TROIS AXES DE LECTURE

1. Un roman à la première personne : le narrateur anonyme se révèle, à la fin du roman, comme le héros principal du livre : Bernard Rieux. La nature et les effets de « procédé » sont intéressants à analyser.
2. Un roman à signification historique : *La Peste* évoque la guerre 1939-1945 et le nazisme : le texte comporte de nombreuses références à cette période, ainsi que des allusions à des débats idéologiques de l'époque.
3. Un roman de la condition humaine : le roman a une portée métaphysique et morale : il montre les manifestations du Mal dans le monde, la souffrance des hommes, et celle en particulier des innocents. Il propose de préserver un sens à la vie par la révolte devant l'absurdité de la condition humaine, grâce à l'exercice de la solidarité dans la lutte qui permet de trouver le chemin de la dignité.

1 Repères biographiques

■■■ UNE ENFANCE PAUVRE

Albert Camus est né, le 7 novembre 1913, à Mondovi, bourg situé en Algérie qui était alors une colonie française. Son père, Lucien, ouvrier-caviste chez un vigneron, est mobilisé en 1914 : blessé dès le début de la guerre, lors de la bataille de la Marne, il est hospitalisé à Saint-Brieuc, où il meurt et où il est enterré. *Le Premier Homme*[1] évoquera la venue d'Albert, à l'âge de 40 ans, sur la tombe de ce jeune homme, son père, mort à 29 ans. Devenue prématurément veuve, la mère de Camus – Catherine – s'installe à Alger dans un appartement de deux pièces avec ses deux fils (Lucien, l'aîné, Albert, le cadet), sa mère et un oncle infirme. Madame Camus, qui ne sait pas lire, fait des ménages pour vivre.

En 1918, Camus entre à l'école communale où il attire l'attention d'un instituteur, Louis Germain : celui-ci le présente au concours des bourses[2], auquel l'enfant est reçu. Camus entre au lycée d'Alger qu'il fréquente de la sixième à la terminale et même au-delà, puisqu'il y devient, en 1932, élève de Lettres supérieures : il a comme professeur de philosophie Jean Grenier dont les écrits le marqueront durablement.

En 1930, atteint par la tuberculose, il s'installe chez un oncle boucher, qui, lui-même passionné de lecture, lui prête des livres. Puis, à partir de 1932, Camus vit de façon indépendante.

---

1. *Le Premier Homme* est le roman auquel travaillait Camus au moment de sa mort. Ce récit inachevé a été publié en 1994 aux éditions Gallimard.
2. A cette époque, de bons élèves de l'école primaire pouvaient obtenir une bourse pour entrer en sixième à condition d'être reçus à un concours organisé à cet effet, le nombre de ces bourses étant très limité.

DÉBUTS LITTÉRAIRES ET PREMIERS ENGAGEMENTS

Camus entreprend à la faculté des lettres d'Alger des études de philosophie, qu'il poursuit jusqu'au diplôme d'études supérieures (équivalent de la maîtrise actuelle) ; mais il ne pourra pas se présenter à l'agrégation pour raisons de santé. Il exerce en même temps divers métiers : vendeur d'accessoires automobiles, employé de préfecture, etc. En 1936, il est engagé comme acteur par la troupe théâtrale de Radio-Alger. Il devient ensuite journaliste à *Alger républicain* où il restera de 1938 à 1940.

Sur le plan de la vie personnelle et militante, cette période est marquée par un premier mariage qui a lieu en 1934 (et qui sera rompu deux ans plus tard) et par son adhésion, à l'été 1935, au Parti communiste qu'il quittera à l'été 1937. C'est sous l'égide du Parti communiste qu'il crée, en 1935, une troupe de théâtre : le théâtre du Travail. Son engagement contre le fascisme menaçant en Europe se manifeste par sa participation au mouvement antifasciste « Amterdam-Pleyel », fondé par Henri Barbusse et Romain Rolland.

Ces années d'avant-guerre sont marquées aussi pour Camus par son entrée en littérature. En 1935, il écrit avec des camarades une pièce, *Révolte dans les Asturies*, pour le théâtre du Travail. La même année et l'année suivante, il rédige un livre d'essais, *L'Envers et l'endroit*, publié en 1937. Il commence dès 1938 à écrire *Caligula* et publie *Noces* en 1939.

L'EXPÉRIENCE DE LA GUERRE

En 1939, à la déclaration de la Seconde Guerre mondiale, Camus, quoique de santé délicate, tente de s'engager : cela lui sera refusé. Le journal qui l'employait cesse de paraître ; il quitte alors l'Algérie pour Paris (en 1940), entre à *Paris-Soir* comme secrétaire de rédaction pour quelques mois. Il séjourne ensuite à Clermont-Ferrand, puis à Lyon où il épouse Francine Faure, professeur de mathématiques originaire d'Oran en Algérie. C'est précisément à Oran qu'il passe l'année 1941, comme enseignant dans un établissement privé. Repris par la maladie, il doit repartir en France, seul, pour se soigner quelques mois à Chambon-sur-Lignon, commune de la Haute-Loire : le débarquement en Afrique du Nord l'empêchera de rentrer en Algérie : il sera donc séparé de sa femme pour le reste de la guerre (comme Rambert, d'une autre façon, dans *La Peste*).

Camus entre en 1943 dans la Résistance, dans le réseau qui s'appelait « Combat » : il y mène une action de renseignement et de journalisme clandestin. Les dirigeants de ce réseau s'installent à Paris : Camus les suit et devient lecteur aux éditions Gallimard. Son activité littéraire ne s'interrompt pas. En 1942, il publie *L'Étranger* et *Le Mythe de Sisyphe* ; et il fait ensuite jouer deux pièces de théâtre : *Le Malentendu* en 1944 et *Caligula* (conçue en grande partie avant la guerre) en 1945.

■■■■ LA CONSÉCRATION

A la Libération (en 1944), Camus prend la codirection de *Combat*, journal issu de la Résistance (et qui a pris le nom du réseau auquel il appartenait). Il y écrira jusqu'en 1947 : il intervient dans les colonnes de son journal, entre autres en faveur de l'instauration d'une réelle démocratie en Algérie – après la répression d'émeutes à Sétif, le 16 mai 1945 –, et contre la répression à Madagascar (en 1947).

Si Camus n'appartient à aucun parti, il n'en prend pas moins position sur tous les problèmes politiques du moment : en mars 1949, il lance un appel en faveur de communistes grecs condamnés à mort dans leur pays ; il démissionne de l'UNESCO à la suite de l'admission de l'Espagne dirigée par le dictateur Franco. En 1953, il prend parti pour les travailleurs qui se sont révoltés contre le régime communiste de l'Allemagne de l'Est. De 1955 à 1956, il collabore à *L'Express* dans les colonnes duquel il évoque en particulier les problèmes de l'Algérie ; il lance, en janvier 1956, lors d'un voyage à Alger, un appel à la trêve. La même année, il participe à un meeting de protestation contre la répression soviétique en Hongrie.

Cette époque de l'après-guerre est aussi pour lui celle du succès puis celle de la consécration. Il publie *La Peste* en 1947 ; le roman est très apprécié du public. Camus est désormais une « figure » des milieux intellectuels de l'après-guerre.

Suivra la parution de deux pièces : *L'État de siège*, qui reprend certains des thèmes de *La Peste* (1948), et *Les Justes* (1949). Il publie ensuite, en 1950, *Actuelles I*, recueil d'articles et de textes écrits entre 1944-et 1948[1], puis en 1951, un essai intitulé « L'Homme révolté ». Ce dernier ouvrage suscite une longue polémique. Les analyses qu'on pouvait y lire dénotaient chez l'auteur, entre autres, le refus de l'idéologie marxiste. Surviennent alors la rupture avec Sartre et un relatif isolement de Camus dans le milieu des intellectuels de l'époque.

Camus poursuit une activité littéraire et théâtrale malgré des ennuis de santé qui le gênent par intervalles. Paraissent *L'Été*, recueil de textes (1954), *La Chute*, récit écrit à la première personne (1956) et *L'Exil et le royaume*, recueil de nouvelles (1957). Il adapte et parfois met en scène des textes de Dino Buzzati, de Dostoïevski, de Faulkner, de Lope de Vega. En 1957, lui est décerné le prix Nobel de littérature qui vient consacrer une œuvre majeure du XXe siècle.

Le 4 janvier 1960, un accident de voiture met brutalement un terme à la vie d'Albert Camus : dans la voiture, on retrouve le manuscrit d'un roman qu'il préparait : *Le Premier Homme*, roman autobiographique inachevé que sa fille Catherine éditera en 1994.

---

1. Camus publiera d'autres recueils d'articles : en 1953, *Actuelles II* (chroniques 1948-1953), en 1958, *Actuelles III* (chroniques algériennes, 1939-1958).

2 **Résumé**

███████ I. DÉCOUVERTE
DU FLÉAU

Un narrateur, dont l'identité ne sera dévoilée qu'à la fin du roman, annonce qu'il va proposer une « chronique » sur certains événements survenus à Oran, vers 1940.

La mort du concierge [du 16 au 30 avril]

Le matin du 16 avril, le docteur Rieux trouve un rat mort dans l'escalier de son immeuble, ce dont il prévient le concierge. Il se montre très préoccupé par la santé de sa femme qui doit partir se soigner en montagne.

Diverses démarches amènent Rieux à rencontrer successivement les personnages de l'action : le juge Othon, le journaliste Rambert venu de Paris pour une enquête, un jeune homme nommé Tarrou arrivé depuis peu à Oran, un employé de mairie, Grand, qu'il a soigné autrefois, le voisin de ce dernier, Cottard, qui a tenté de se suicider, et le père Paneloux, un jésuite particulièrement érudit. Cette séquence joue ainsi le rôle d'un chapitre d'exposition où tous les personnages du récit sont présentés. Les découvertes de rats morts se multiplient et le concierge, atteint d'une curieuse maladie, meurt le 30 avril.

Le narrateur fait état des notes que Tarrou a consignées dans des carnets à propos de l'épisode des rats : Tarrou y évoque les réactions d'un petit vieux « qui crache sur les chats », ainsi que celles du veilleur de nuit et du directeur de l'hôtel dans lequel il loge.

Pour une meilleure compréhension, c'est l'auteur de ce Profil qui a donné un titre à chacune des cinq parties de La Peste.

L'identification de la peste

[« le lendemain de la mort du concierge », 30 avril et mai]

On dénombre dix puis vingt cas de fièvre mortelle non identifiée. Le docteur Rieux assiste à l'enquête sur la tentative de suicide de Cottard et converse avec Grand, qui évoque son « travail personnel » : on devinera bientôt que Grand passe ses soirées à tenter d'écrire un livre ; puis il parle avec Cottard qui semble craindre la police. La fièvre fait de plus en plus de victimes et le vieux docteur Castel invite son jeune confrère, Rieux, à identifier ce mal mystérieux : c'est la peste.

Après un échange de vues entre médecins, Rieux tente de convaincre le préfet – qui souhaite ne pas inquiéter la population en parlant de peste – de la nécessité de prendre les mesures sanitaires indispensables.

La fermeture de la ville [mai]

Des affiches proposant des mesures contre « une fièvre pernicieuse » apparaissent de façon discrète dans la ville. Cottard semble avoir quelque chose à se reprocher. Le nombre des morts augmente chaque jour. Le préfet prend des mesures complémentaires en attendant les ordres. Une dépêche officielle arrive : « Fermez la ville. »

■■■ II. LES EFFETS DE LA PESTE

Les changements à Oran [mai]

La fermeture de la ville fait de la peste « l'affaire de tous ». Le narrateur décrit en particulier les souffrances de ceux qui se trouvent désormais séparés de leurs proches : il leur est interdit de correspondre (en raison des risques de contagion) et de téléphoner (afin que les lignes puissent être réservées aux seuls cas urgents). Le narrateur évoque alors chez les amants « séparés » la découverte de la jalousie, de la solitude, du sentiment de l'exil.

Les Oranais sont contraints de transformer leurs habitudes à cause du rationnement et des restrictions à la circulation. Cottard semble se réjouir de la situation. Grand raconte à Rieux l'histoire de son mariage qui, heureux au début, s'est terminé par le départ de son épouse Jeanne. Rambert explique à Rieux qu'il fait des démarches pour quitter la ville et lui demande de l'aider en lui délivrant un certificat. Rieux le lui refuse et Rambert lui reproche de préférer une « abstraction » (le respect des règles sanitaires) au bonheur d'un individu. Rieux, laissé seul, songe que cette « abstraction », dont parle le journaliste, consiste en toute une série de souffrances concrètes auxquelles, harassé lui-même, il doit faire face.

Le prêche du père Paneloux [juin]

On constate une recrudescence de l'épidémie. Le père Paneloux prononce un prêche : il y explique que Dieu a laissé le fléau s'abattre sur les Oranais pour leur faire prendre conscience de la tiédeur de leur croyance et de la nécessité de revenir à « l'essentiel », c'est-à-dire à la foi.

Grand explique à Rieux qu'il écrit un roman dont il veut qu'il soit parfait et il lui en lit la première phrase, cent fois recommencée. Rambert effectue de nombreuses démarches pour quitter la ville.

L'engagement des divers personnages dans la lutte [juin-juillet]

L'été s'installe et la peste est de plus en plus redoutable. Tarrou observe le « petit vieux aux chats », s'intéresse à la vie d'un vieil asthmatique qui transvase des petits pois d'une marmite dans une autre, pour mesurer le temps. Il propose à Rieux de l'aider à soigner les malades en organisant, en dehors de l'administration, des équipes de soin qu'il appelle « formations sanitaires volontaires ». C'est l'occasion pour lui d'interroger le docteur sur ce à quoi il croit et sur ce qui fonde son action.

Le docteur Castel cherche a créer un nouveau sérum. Grand assure désormais le secrétariat des formations sanitaires. Chaque soir, avant de retourner à son travail d'écriture romanesque, il commente longuement avec Rieux les diverses formulations auxquelles il songe pour sa première phrase. Grand témoigne ainsi, dans une grande simplicité, d'une réelle bonté jointe à la poursuite d'un idéal (si humble soit-il) : c'est ce qui fait dire au narrateur que s'il faut un héros à son récit, ce sera Grand.

Nouvelles démarches de Rambert

Ayant épuisé les moyens légaux, Rambert cherche d'autres moyens pour sortir de la ville. Il s'adresse à Cottard qui est en relation avec des contrebandiers. Les rendez-vous successifs de Rambert prènnent des jours et des jours. Le dernier rendez-vous étant manqué, « tout est à recommencer », formule qui, selon Rambert, définit bien la peste.

Au cours du récit de toutes ces démarches, le narrateur évoque des propos de Cottard ; celui-ci explique clairement qu'il était poursuivi par la police avant la peste, et qu'il refuse de lutter contre un fléau qui sert ses intérêts, puisque les autorités n'ont plus le temps de s'occuper de lui. Paneloux s'est joint aux combattants de la peste. Deux conversations animées entre Rambert, Rieux et Tarrou amènent finalement le journaliste, qui a fermement défendu son point de vue, à proposer d'aider ceux qui luttent contre la peste, en attendant le succès de ses propres démarches.

■■■■■■ III. SITUATION AU SOMMET DE L'ÉTÉ ET DE LA MALADIE
[« au milieu du mois d'août »]

Le vent souffle ; la peste a tout recouvert et gagne même le centre de la ville où on isole certains quartiers. Elle atteint la prison. On assiste à des scènes de violence, de pillage et d'incendie et le couvre-feu est institué. Les enterrements, de plus en plus nombreux, se déroulent selon un cérémonial de plus en plus rapide, jusqu'à ce que, faute de cercueils, on transporte les monceaux de corps dans des ambulances, puis dans des tramways, pour les jeter dans deux fosses communes (une par sexe) puis dans une seule avant qu'on ne décide de les brûler dans des fours crématoires. Quant aux « séparés » (ceux que la peste a « séparés » d'un être cher qui se trouve hors de la ville d'Oran), ils perdent la force des souvenirs précis, n'éprouvent « plus de grands sentiments » : ils rentrent « dans l'ordre même de la peste ».

■■■■ IV. L'INSTALLATION DANS LA PESTE

Le revirement de Rambert
[septembre-octobre]

Les combattants de la peste ressentent maintenant une grande fatigue qui se manifeste sous des formes diverses chez Rieux, Rambert, Grand, Tarrou, Castel. L'état de la femme de Rieux s'aggrave et celui-ci, sous l'effet de l'épuisement, confie à Grand ses soucis au sujet de son épouse. Castel a mis au point son sérum qu'il va essayer sur le fils du juge Othon, tombé malade. Seul Cottard – note Tarrou dans ses carnets – se sent bien. A l'Opéra, un acteur qui joue le rôle d'Orphée (comme chaque semaine depuis la fermeture de la ville) vacille tout à coup sur scène et meurt en plein spectacle.

Rambert continue ses démarches et Rieux, à qui le juge Othon a parlé des relations louches du journaliste, lui conseille de partir au plus vite : Rambert se prépare à quitter la ville. Quand le jour est enfin fixé et que tout semble prêt, Rambert va voir Rieux et lui annonce qu'il reste, pour l'aider.

Mort du fils du juge Othon
[derniers jours d'octobre]

Le fils de M. Othon est tombé malade. Rieux diagnostique la peste. La famille Othon accepte dignement la mise en quarantaine et la séparation qui sont imposées à tous. Rieux, jugeant le cas de l'enfant désespéré, essaie le sérum qui vient d'être mis au point par Castel. Rieux, Castel et Tarrou, puis Paneloux et Grand assistent impuissants à l'agonie, puis à la mort de l'enfant, que le sérum aura simplement retardée. Rieux, dans un dialogue avec le père Paneloux, proteste avec colère contre « cette création où des enfants sont torturés ».

Deuxième prêche
et mort de Paneloux [novembre]

Le père Paneloux prononce un deuxième prêche, tout différent du premier : ses propos sont influencés par la mort du jeune Othon et par une inquiétude personnelle. Puis il tombe malade, refuse l'assistance d'un médecin et meurt d'une affection qui ne correspond pas vraiment à la peste. On inscrit sur sa fiche : « cas douteux ».

Nous sommes en novembre. La maladie semble maintenant stabilisée, peut-être grâce au sérum de Castel. Elle a atteint un « palier », comme le dit le docteur Richard, qui meurt peu après. Les difficultés de ravitaillement accroissent la spéculation, ce dont pâtissent les pauvres.

Le récit de Tarrou à Rieux
[à la fin de novembre]

Un soir, Tarrou se confie à Rieux pour la première fois : il évoque son père, avocat général, sa découverte, lors d'un procès, de l'horreur d'une condamnation à mort – prononcée par son père –, son départ du milieu familial, sa lutte politique en Europe (au cours de laquelle il découvre que son propre camp prononce des condamnations à mort) ; il explique sa décision de ne plus participer à ce qui fait mourir ou justifie qu'on fasse mourir, sa résolution de se ranger du côté des victimes. Suit alors un moment d'amitié et de paix : Rieux et Tarrou s'en vont prendre, en silence, un bain de mer hors de l'enceinte de la peste.

La maladie de Grand
[fin décembre]

Rieux reçoit la visite du juge Othon chez qui il perçoit des changements. Le juge lui exprime son désir de participer à la lutte contre le fléau pour se sentir moins séparé de son fils. Le jour de Noël, Rieux rencontre Grand qui pleure devant une vitrine ; il sympathise avec lui parce qu'il sait qu'il songe à sa femme ; dans les moments qui suivent, Grand tombe à terre, frappé par la peste. On le croit condamné ; il supplie qu'on brûle son manuscrit ; ce qui est fait. Tarrou le veille. Or, le lendemain, Grand est guéri. D'autres cas de guérison apparaissent : la peste recule.

■■■■■ V. LA FIN DE LA PESTE ET LA LIBÉRATION

Le froid s'installe. La peste fait moins de victimes : le sérum de Castel devient plus efficace, même s'il meurt toujours des malades, comme le juge Othon. Des sourires réapparaissent. Le 25 janvier, la préfecture annonce une ouverture prochaine des portes : la population manifeste sa joie dans les rues, cependant que certaines familles pleurent un mort ou attendent une guérison et souffrent de ne pas pouvoir prendre part à l'allégresse générale.

La mort de Tarrou [fin janvier]

Cottard manifeste des signes d'inquiétude devant le recul de la peste. Deux jours après la déclaration préfectorale, au moment où il rentre chez lui, il trouve deux hommes qui l'y attendent : il s'enfuit.

Rieux attend des nouvelles de sa femme ; il espère pouvoir « recommencer » sa vie avec elle après la peste. C'est alors que Tarrou tombe malade ; Rieux décide de le soigner chez lui avec l'aide de sa mère. Tarrou lutte toute la nuit et meurt le lendemain. Au matin du jour suivant, Rieux apprend la nouvelle de la mort de sa femme.

L'ouverture des portes [début février]

Les portes de la ville sont rouvertes. Les trains amènent ou emportent les « séparés » qui vont retrouver l'être aimé. La ville est en fête. Rieux gagne les faubourgs en méditant sur le bonheur que certains viennent de retrouver et dont d'autres sont exclus.

Le narrateur révèle finalement son identité : Rieux est l'auteur de la chronique. Dans la rue, un fou tire sur les passants : c'est Cottard que la police maîtrise et maltraite. Grand annonce au docteur qu'il a écrit à sa femme, et qu'il a recommencé sa phrase. Rieux décide de rédiger le récit de cette peste pour « témoigner ».

3 Élaboration de La Peste

■■■■■ « LA PESTE » DANS L'ITINÉRAIRE DE CAMUS

Une longue gestation

Il est toujours difficile de préciser le moment où un romancier commence à songer à une œuvre nouvelle. Camus, pour sa part, a été amené à expliquer comment lui venait l'idée d'un livre : « Des notes, écrit-il, des bouts de papier, et tout cela des années durant. Un jour vient l'idée, la conception, qui coagule ces particules éparses. Alors commence un long et pénible travail de mise en ordre. »

En ce qui concerne *La Peste*, on trouve déjà dans *Les Carnets*, à la date de 1938, des fragments qui seront repris sous une forme ou une autre, dans le roman. Diverses notes ou pages sont rédigées cependant qu'il termine *L'Étranger* qui sera achevé en mai 1940. Mais c'est à partir de 1941 qu'il songe véritablement au roman qui s'appellera « La Peste ». Dès le mois d'octobre de cette année-là, il commence des lectures diverses pour s'informer sur ce fléau qu'est la peste : ouvrages scientifiques sur la maladie ou écrits historiques sur les épidémies des siècles passés. A partir d'août 1942, il rédige une première version du roman qu'il termine en septembre 1943. Puis, dans les mois qui suivent, il apporte à son texte des modifications importantes : il décide de confier le récit à un narrateur inconnu du lecteur, invente les personnages de Grand et de Rambert qui n'existaient pas au départ, se propose d'entourer de mystère le personnage de Cottard, multiplie les réflexions sur la « séparation » que la peste provoque entre des êtres qui s'aiment, élabore une structure plus nette de son livre, gomme le lyrisme de certains passages et donne au mythe toute son efficacité.

Pour ce faire, il rédige des feuillets divers, se donne à lui-même des consignes ; il écrit par exemple : « prendre Cottard à l'envers : décrire son comportement et révéler à la fin qu'il avait peur d'être arrêté ». Par ailleurs, l'expérience de la guerre et de l'Occupation l'amène à compléter ou à réorienter certaines séquences de son récit. Il est clair que le chapitre où il évoque Oran enfin libérée de la peste constitue un écho de ce qu'a pu être la libération de Paris.

Camus se livre enfin à un long travail de style : entre la version initiale manuscrite et la première édition du texte, on dénombre environ 1500 variantes, c'est-à-dire autant de modifications de termes, de groupes de mots, de structures de phrases, etc. (*La Peste* est finalement publiée en 1947.)

La Peste dans l'œuvre de Camus

Les différentes œuvres de Camus, en particulier *L'Étranger* et *La Peste*, constituent les étapes d'un itinéraire intellectuel. Interrogé à ce sujet en 1958, Camus déclare : « Oui, j'avais un plan précis quand j'ai commencé mon œuvre : je voulais d'abord exprimer la négation. Sous trois formes ; romanesque : ce fut *L'Étranger* ; dramatique : *Caligula* ; idéologique : *Le Mythe de Sisyphe*. […]. Mais […] je savais que l'on ne peut vivre dans la négation et je l'annonçais dans la préface du *Mythe de Sisyphe* ; je prévoyais le positif sous les trois formes encore ; romanesque : *La Peste* ; dramatique : *L'État de siège* et *Les Justes* ; idéologique : *L'Homme révolté*. »

C'est ainsi qu'on peut déterminer deux « cycles » d'œuvres : un cycle de « la négation », appelé généralement cycle de « l'absurde », avec en particulier *L'Étranger* : l'auteur y exprime une prise de conscience de l'absurde, de l'absence de sens de la condition humaine. Au cycle de l'absurde succède ce que les critiques appellent « le cycle de la révolte », ensemble d'œuvres – dont *La Peste* – dans lesquelles Camus dit la nécessité de dépasser le simple constat du non-sens de la vie humaine et exprime les valeurs qui résident dans la révolte, dans l'action qu'elle engendre, dans la solidarité qu'elle génère entre les hommes et dans la dignité qu'ils peuvent y trouver. De *L'Étranger* à *La Peste*, on note le passage d'une prise de conscience, lucide mais solitaire, à la reconnaissance d'une communauté au sein de laquelle il faut lutter. « S'il y a évolution de *L'Étranger* à *La Peste*, elle s'est faite dans le sens de la solidarité et de la participation », affirmera l'écrivain.

■■■■■ LES GRANDES PESTES DU PASSÉ

Les pestes de l'Histoire

Si le fléau de la peste peut devenir, dans le roman de Camus, un véritable mythe qui parle fortement à l'imagination, c'est que la mémoire des hommes a longtemps été marquée par le souvenir des grandes pestes de l'Histoire. La peste, comme le racontera l'historien grec Thucydide, ravage Athènes en 429 avant J.-C. Elle atteint plus tard tout le bassin méditerranéen aux VIe et VIIe siècles après J.-C. (on l'appellera « peste de Justinien », du nom de l'empereur romain d'Orient qui régna de 527 à 565). Au XIVe siècle, elle frappe l'Europe entre 1347 et 1353 et tue environ 24 millions d'hommes (on l'appellera « la Peste noire »). Elle s'abat ensuite sur Milan en 1575, puis en 1630, et donne lieu à de nombreuses scènes de débauche dues au désespoir. A Londres, elle cause 36 000 morts en 1603, 35 000 en 1625 et 70 000 en 1665 et 1666. A Marseille, en 1720, elle fait 40 000 victimes. Elle sévit encore en Algérie (où précisément se passe le roman de Camus), de 1818 à 1822, puis en 1835 : on dénombre alors 1 500 morts en trois jours à Constantine. Elle fait encore mourir hommes et rats en Chine à la fin du XIXe siècle. Elle réapparaît en Algérie en 1921[1].

Ainsi la ville d'Oran va-t-elle prendre, dans *La Peste*, la suite de la longue série des grandes villes frappées par le fléau : Athènes, Milan, Londres, Marseille.

---

1. Une autre épidémie atteint la population algérienne à l'époque même de la rédaction de *La Peste* ; c'est celle du typhus qui a touché 55 000 personnes en 1941, 200 000 en 1942 et 45 000 en 1943.

La peste dans la littérature

Des calamités d'une si grande ampleur sont devenues tout naturellement objet de récits de la part des historiens, mais aussi de la part de poètes et de romanciers[1]. Sophocle évoque le fléau dans *Œdipe roi*, Thucydide se fait le chroniqueur de la peste d'Athènes, et Lucrèce, quatre siècles plus tard, fait écho à ce récit. L'écrivain médiéval Froissart évoque la Peste noire dans ses *Chroniques*. *Le Décaméron* de Boccace narre, en son début, l'arrivée de la peste à Florence en 1348. Daniel Defoe, romancier anglais du XVIIIe siècle, raconte la peste de Londres (1665) dans un livre écrit en 1722 (juste après le surgissement de la peste à Marseille) et intitulé : *Journal de l'année de la peste*. Manzoni décrit, dans *Les Fiancés* (1827), les manifestations du fléau qui frappe Milan en 1630. Et Chateaubriand évoque la peste qui ravage Marseille dans les *Mémoires d'outre-tombe* (IV, 1-15), Camus s'inscrit ainsi dans toute une tradition littéraire dont il est nourri[2].

---

1. Camus fait écho à certains de ces grands textes dans son roman (p. 43).
2. Trois textes ont pu tout particulièrement retenir son attention : le récit de Defoe déjà cité, l'essai d'Antonin Artaud : *Le Théâtre et son double*, et les passages de la Bible qui évoquent le terrible mal.

4 Temps et durée

■■■■■ TEMPS HISTORIQUE

Le narrateur affirme dès la deuxième ligne du roman qu'il va écrire une « chronique », autrement dit un récit d'événements effectué selon l'ordre du temps. Le déroulement des chapitres s'effectue donc suivant un principe chronologique. Le chapitre 2 débute par l'indication d'une date : « Le matin du 16 avril » (p. 15). Il en sera de même au début de nombreux chapitres : « Le lendemain » (p. 50) ; « Pendant les mois de septembre et d'octobre » (p. 173) ; « Ce fut dans les derniers jours d'octobre » (p. 192). Et la chronologie fournit souvent, notamment en quatrième partie, le principe de transition d'un chapitre à l'autre.

L'exactitude du calendrier est surtout respectée au début du roman : en témoigne le chapitre 2 où l'on peut lire des débuts de paragraphes comme ceux-ci : « Le soir même » ; « Le lendemain 17 avril, à huit heures » ; « L'après-midi du même jour » ; « A dix-sept heures » ; « Mais le lendemain matin, 18 avril » ; « le 28 avril, cependant » ; « C'est pourtant le même jour, à midi » ; « Le lendemain, 30 avril ». Il s'agit ici pour le narrateur de faire la démonstration de son souci d'exactitude historique et d'instituer d'entrée de jeu une certaine distance narrative par rapport aux événements qu'il relate ; il s'agit pour le romancier à la fois de créer l'illusion du réel par la mention précise d'horaires et de dates, et de marquer les étapes d'une montée de l'intensité dramatique.

Grâce à la précision des dates, perceptible au début et à la fin du livre, on pourra ainsi établir que le roman qui s'ouvre un 16 avril se clôt quinze jours après le 25 janvier, c'est-à-dire vers le 10 février (p. 247). Il s'étale ainsi sur une période de dix mois, la fermeture de la ville ayant duré neuf mois.

■■■■■ CALENDRIER DE LA PESTE

A y regarder de plus près, on constatera que l'on ne trouve de mentions précises de dates que dans la première partie (la séquence 2 évoque les 16, 17, 18, 25, 28 et 30 avril) et dans la dernière qui commence le 25 janvier, jour de la décision de réouverture des portes. Entre le moment de la fermeture et celui de la décision de réouverture, les indications chiffrées de dates disparaissent.

Le chroniqueur fait alors se dérouler simplement les mois de l'année. Et, surtout, il situe les faits qu'il relate par rapport à des événements marquants de l'histoire de la peste à Oran : il établit ainsi la chronologie des faits autour de moments faciles à mémoriser (la Toussaint, p. 212 ; Noël, p. 235) ou d'événements repères : la mort du concierge, la fermeture des portes, le prêche du père Paneloux, la mort du petit Othon, vont ainsi servir de points de repère pour situer les événements les uns par rapport aux autres. C'est ainsi que l'on trouvera les formules : « Au lendemain de la mort du concierge » (p. 35), « Le lendemain de la conférence » (p. 54), « Peu après le prêche » (p. 106). C'est que le narrateur, acteur du drame, use de souvenirs qui se situent mieux par rapport à des épisodes intensément vécus, que par rapport aux dates du calendrier. Il y a donc là d'abord un effet d'authenticité du témoignage.

Fait plus frappant, il arrive que la chronologie soit indiquée en dates chiffrées mais que ces dates ne soient pas celles du calendrier ordinaire : le narrateur parle ainsi de la « troisième semaine de peste » (p. 77), de la « fin du premier mois de peste » (p. 89) ou de la « quatre-vingt-quatorzième journée de peste » (p. 112) : il crée ainsi une unité temporelle propre au récit, comptant la durée en journées ou en semaines ou en mois de peste. C'est que les Oranais, prisonniers du fléau, ne peuvent plus utiliser la chronologie officielle, mais élaborent un calendrier qui leur est propre : ce calendrier de la peste marque à la fois à quel point ils vivent maintenant au seul rythme du fléau et à quel point ils se sentent désormais hors du temps des autres hommes. A la fin du roman, lorsque la peste sera près d'être vaincue et que la réouverture des portes sera proche, la datation reprendra son mode habituel.

5 Structure

■■■ UNE STRUCTURE DRAMATIQUE

Un crescendo et un decrescendo

La structure du roman, qui comporte cinq parties (de même qu'une tragédie classique est composée de cinq actes), confère au récit une efficacité dramatique qu'il faut souligner. La première partie est constituée par la découverte progressive de la peste : morts de rats de plus en plus nombreuses, développement d'une fièvre mortelle chez les Oranais, identification du fléau et, à la dernière page, fermeture de la ville.

Cette montée de l'intensité dramatique se poursuit dans la seconde partie : progrès vertigineux de l'épidémie, montée des statistiques, effets de la fermeture d'Oran, prises de position des principaux personnages. La troisième partie, formée d'une seule séquence, correspond au « sommet de la maladie » : c'est l'occasion pour le narrateur d'effectuer une synthèse et d'évoquer « les violences [des] vivants, les enterrements des défunts et la souffrance des amants séparés » (p. 155) en un tableau très intense des conséquences à la fois inhumaines et douloureuses de la peste. La quatrième partie souligne la permanence de la peste qui ne s'accroît plus en intensité mais qui cause de nouveaux ravages et provoque une évolution des personnages avant de s'essouffler quelque peu. La cinquième et dernière partie narre le reflux du fléau jusqu'à sa disparition, donnée d'ailleurs comme provisoire.

C'est donc bien l'évolution de l'épidémie qui, sur le plan dramatique, structure le roman : la courbe du récit se caractérise par un ample crescendo, un « palier », puis un decrescendo relativement rapide : elle confère ainsi au livre une tension dramatique très intense qui ne se relâche que dans les tout derniers chapitres.

PREMIÈRE PARTIE

Chapitre*	Dates	Thèmes principaux
chap. 1 (p. 11-14)		Présentation d'Oran et du thème du livre
chap. 2 (p. 15-27)	du 16 au 30 avril	Rencontre des personnages Prolifération de rats morts Mort du concierge
chap. 3 (p. 28-34)	mêmes dates à peu près	Carnets de Tarrou : réactions diverses au phénomène de la mort des rats
chap. 4 (p. 35-40)	le 30 avril et les jours qui suivent – quelques jours plus tard	Visite chez Cottard Identification de la peste
chap. 5 (p. 41-44)	le même jour	Méditation de Rieux
chap. 6 (p. 45-49)	le même jour	Joseph Grand
chap. 7 (p. 50-53)	le lendemain	Réunion à la préfecture
chap. 8 (p. 54-64)	le lendemain et les jours suivants	Cottard Fermeture de la ville
54 pages	Durée de l'action : 1 mois environ	

*Camus a divisé chacune de ses parties en une série de chapitres qui n'ont ni titre, ni numéro, mais qui sont identifiables par le fait qu'ils commencent au deuxième tiers d'une page, après un grand « blanc ». Pour la clarté du tableau, nous avons numéroté les chapitres.

DEUXIÈME PARTIE

Chapitre*	Dates	Thèmes principaux
chap. 1 (p. 67-75)	à peu près 2e quinzaine de mai	La séparation d'avec les êtres chers
chap. 2 (p. 76-88)	même période 2 jours après la fermeture 3 semaines après la fermeture (juin)	Rieux rencontre Cottard puis Grand. Rieux refuse à Rambert, qui veut partir, un certificat de complaisance
chap. 3 (p. 89-95)	à la fin du premier mois de peste (juin)	Le prêche du père Paneloux
chap. 4 (p. 96-100)	peu de jours après le prêche (juin)	Le travail de Grand
chap. 5 (p. 101-105)	même période	Les démarches de Rambert
chap. 6 (p. 106-115)	« peu après le prêche » « à la fin du mois de juin » « juillet »	Les effets de la peste, selon Tarrou
chap. 7 (p. 116-123)	« un soir » de la fin juin ou juillet	Tarrou propose de créer des « formations sanitaires » Conversation de Rieux et Tarrou sur les raisons de leur engagement
chap. 8 (p. 124-130)	« dès le lendemain » et les jours suivants	Réflexions sur l'héroïsme à propos de Tarrou et de Grand
chap. 9 (p. 131-152)	même période : durée de 18 jours	Nouvelles démarches de Rambert
86 pages Durée de l'action : entre 2 et 3 mois		

TROISIÈME PARTIE

Chapitre*	Dates	Thèmes principaux
un seul (p. 155-170)	aux environs du mois d'août	Situation générale
16 pages		

QUATRIÈME PARTIE

Chapitre*	Dates	Thèmes principaux
chap. 1 (p. 173-183)	« mois de septembre et d'octobre »	La peste continue Fatigue générale Mort d'Orphée
chap. 2 (p. 184-191)	« les premiers jours du mois de septembre » et les 3 semaines qui suivent	Démarches et revirement de Rambert
chap. 3 (p. 192-199)	« dans les derniers jours d'octobre »	Mort du jeune Othon
chap. 4 (p. 200-211)	les jours ou semaines qui suivent	Le deuxième prêche de Paneloux et sa mort
chap. 5 (p. 212-219)	« La Toussaint », le mois de novembre	Les camps d'isolement
chap. 6 (p. 220-232)	un soir de la « fin novembre »	Le récit de Tarrou à Rieux. Le bain de mer
chap. 7 (p. 233-239)	« vers la fin de décembre » la veille de « Noël »	Othon rejoint les formations sanitaires Maladie de Grand
67 pages	Durée de l'action : 4 mois	

CINQUIÈME PARTIE

Chapitre*	Dates	Thèmes principaux
chap. 1 (p. 243-248)	« pendant les premiers jours de janvier » « pendant tout le mois de janvier » « le 25 janvier »	L'espoir renaît Décision de réouverture des portes dans les 2 semaines
chap. 2 (p. 249-254)	à la mi-janvier « jusqu'au 25 janvier » « deux jours après » (27 janvier)	Inquiétude de Cottard
chap. 3 (p. 255-264)	« le surlendemain » (29 janvier) et le lendemain (30 janvier)	Mort de Tarrou
chap. 4 (p. 265-272)	« à l'aube d'une belle matinée de février »	La Libération
chap. 5 (p. 273-279)	le même jour	Arrestation de Cottard
37 pages Durée de l'action : environ 1 mois et demi		

L'énumération des statistiques

L'effet dramatique est renforcé par l'indication répétée de statistiques qui scandent le récit et remplacent parfois l'énumération des dates. La première partie est caractéristique à cet égard : au chapitre 2, on découvre 1 rat mort (p. 15), puis 3 (p. 16), puis une dizaine, une cinquantaine, plusieurs centaines (p. 21). A la date du 25 avril, on en comptabilise 6 231, et trois jours plus tard 8 000. Puis ce sont les hommes qui meurent ; dans les chapitres suivants, sont dénombrés 2 morts, puis 20 morts, puis 40 morts ; au chapitre 6 de la deuxième partie, on en arrive à 700 victimes par semaine puis à 124 morts en une journée. Dans la troisième partie, les statistiques sont remplacées par l'évocation de la rapidité de plus en plus grande avec laquelle il faut enterrer des wagons entiers de cadavres. La fin de la quatrième partie et la cinquième nous proposent à nouveau des statistiques cette fois en décroissance.

Cette succession de chiffres renforce la construction dramatique du roman avec sa courbe ascendante et sa courbe descendante. Par son caractère répétitif et purement arithmétique, elle symbolise la présence continue de la peste et marque, de façon presque mimétique, les coups successifs, et de plus en plus forts, que le fléau assène sur la communauté des hommes, avant de relâcher, bien tard, son emprise.

Le rythme des saisons

Le rythme des saisons constitue un autre principe de structuration du récit. La première partie a pour cadre chronologique le printemps, la seconde approximativement l'été, la quatrième l'automne, la cinquième l'hiver. Ce déroulement n'a pas seulement une valeur chronologique : la correspondance entre le fléau et les saisons est plusieurs fois soulignée : la peste naît avec le printemps (p. 36), elle prospère pendant les premières chaleurs (p. 106), atteint toute sa puissance pendant le plein été et l'automne, et disparaît au début de l'hiver.

Cette succession des saisons qui rythme l'évolution de la peste est également rendue sensible par de nombreuses notations de climat : brumes et pluies diluviennes (p. 35), puis chaleurs naissantes de mai (p. 62), soleil implacable de l'été (p. 106, 108, 133), vent brûlant du mois d'août (p. 155-156), grandes averses d'octobre (p. 173), froid de l'hiver (p. 244). Ces éléments climatiques sont évoqués comme accompagnant voire provoquant les progrès, la puissance, puis le recul du fléau. On verra comment ces évocations contribuent à conférer un caractère mythique à la peste.

On notera tout de suite qu'elles permettent d'accentuer l'intensité dramatique du récit. « Au lendemain de la mort du concierge, écrit le narrateur, de grandes brumes couvrirent le ciel. Des pluies diluviennes et brèves s'abattirent sur la ville [...] » (p. 35). Le bouleversement climatique transforme tout à coup l'événement banal que constitue la mort d'un concierge en signal du déclenchement d'on ne sait quelle puissance surnaturelle ; il intègre cette mort dans un processus d'ordre cosmique.

Au moment où le père Paneloux prononce son « prêche », la pluie redouble, elle crépite sur les carreaux et le vent s'engouffre sous la nef comme pour manifester concrètement la colère de Dieu qui fait le sujet du sermon du jésuite (p. 92-94).

Le récit de la peste est ainsi scandé par l'évocation de forces climatiques violentes qui marquent, de façon à chaque fois différente, chaque étape de l'évolution du fléau. Un effet de dramatisation est de la sorte assuré. Les événements prennent une dimension cosmique comme dans certains récits bibliques.

■■■■■ ÉLÉMENTS STRUCTURANTS

A l'intérieur de cette structure d'ensemble du livre commandée par un principe de progression dramatique, on peut déceler un certain nombre d'éléments qui confortent la structuration du récit.

« Les préparations »

Camus ne méprise pas ces techniques simples du roman traditionnel que sont les « préparations ». Avant de narrer un événement dramatique, il lui arrive de le préparer par le biais d'indices que le lecteur n'interprétera d'ailleurs qu'à seconde lecture. C'est ainsi que la maladie du petit Othon, qui fait l'objet du chapitre 3 de la quatrième partie, est quelque peu annoncée, sans qu'on y prenne garde, par une note de Tarrou qui écrit : « le petit garçon avait changé d'aspect. [...] un peu plus tassé sur lui-même, il semblait la petite ombre de son père » (p. 110). Quant à la mort de Tarrou, elle est, elle aussi, préparée par l'insistance du narrateur à noter que les dernières pages des carnets de Tarrou semblent trahir la fatigue, que l'écriture « en devient difficilement lisible » (p. 249), qu'elle donne « des signes bizarres de fléchissement » (p. 250) et qu'elle « prouve » l'épuisement de son rédacteur.

Scènes en écho

Le roman comporte plusieurs séries de scènes en écho qui contribuent à la structuration du récit. On citera à cet égard les séquences de la deuxième partie : au premier prêche, intransigeant, du père Paneloux (II, chap. 3) répond le second (IV, chap. 4), beaucoup plus nuancé. A la première série de démarches clandestines qu'effectue Rambert, sans succès (II, chap. 9), correspond la seconde série, dans la quatrième partie, qui est près de réussir (IV, chap. 2). Ces deux tentatives donnent lieu à une discussion avec Rieux ; au bout de la première, Rambert marque son opposition au médecin ; au terme de la seconde, il choisit de le rejoindre dans sa lutte. Qu'il s'agisse de Paneloux ou de Rambert, les deux séries de scènes traduisent ainsi l'évolution du personnage entre la deuxième et la quatrième partie du livre. Les deux dialogues entre Tarrou et Rieux (II, chap. 7 et IV, chap. 6) marquent quant à eux un approfondissement dans la connaissance mutuelle des deux personnages et dans l'intensité de leur amitié.

Scènes d'agonies

Autre principe de structure, le récit de la peste est scandé, comme il se doit, par la narration, allusive ou circonstanciée, d'un certain nombre de morts : disparaîtront ainsi, parmi les personnages rencontrés, le concierge, le jeune Othon, le docteur Richard, le père Paneloux, le juge Othon, Tarrou et l'épouse de Rieux. Or deux de ces morts – auxquelles il faut ajouter celle de l'acteur qui joue Orphée (IV, chap. 1) – constituent des moments forts du livre et leur place dans la structure leur confère une intensité particulière.

• Le jeune Othon

Il s'agit d'abord de celle du jeune Othon : le caractère pathétique de son agonie va avoir des conséquences sur le plan dramatique : elle détermine l'évolution du jésuite Paneloux dont le second prêche sera très marqué par le souvenir de cette mort, et dont la fin ambiguë n'est pas sans rapport avec cette expérience. Par ailleurs, la mort du petit Othon va nourrir un des grands débats du livre : comment croire à un quelconque sens du monde, comment croire en Dieu lorsque l'on voit ainsi mourir dans la souffrance un enfant innocent ?

● Tarrou

La mort de Tarrou est d'une autre nature. Elle illustre un nouvel aspect de l'absurdité du monde, puisque Tarrou meurt au moment même où le bacille de la peste est par ailleurs vaincu. Et l'intensité dramatique de cette agonie vient aussi d'un effet de structure. Deux scènes dont Tarrou est le centre s'opposent en effet : celle de sa confession à Rieux, où il prononce un très long monologue et où il est en communion affective avec le docteur (IV, chap. 6), celle de son agonie, où il est réduit au silence et où il est à jamais séparé de son ami (V, chap. 3).

● Orphée

Reste la scène de mort qui ouvre véritablement la série des fins tragiques de la quatrième et de la cinquième partie : c'est celle d'un acteur qui, depuis des mois, joue au théâtre le rôle d'Orphée et qui, un jour, meurt en scène (IV, chap. 1). Bien qu'elle n'évoque pas un héros connu du lecteur, cette scène a un statut particulier. Elle est très représentative du roman pour toute une série de raisons : comme de nombreuses autres pages du livre, elle est racontée sur le mode de la distance humoristique. Elle illustre par ailleurs le thème de la séparation : dans le spectacle comme dans la légende, Orphée, séparé d'Eurydice partie aux Enfers, tente en vain de la ramener sur terre. Elle illustre le thème de la répétition (chaque semaine le chanteur clame, toujours en vain, la même plainte), répétition qui marque la vie des Oranais pendant la peste et qui est un élément constitutif de la condition humaine. Elle démontre le caractère implacable du fléau, qui vient frapper un acteur dans un théâtre où, par définition, on prétendait faire oublier le réel. Le spectacle sur scène devient une représentation de ce qui se passe dans la ville : la séquence constitue ainsi ce qu'on appelle une « mise en abyme » du sujet même du roman.

■■■■ UN ROMAN D'AVENTURES ?

Le schéma du roman d'aventures

La Peste ne peut certes pas se définir comme un roman d'aventures. Il n'y a pas ici de péripéties multiples d'une aventure qui constituerait le centre du récit. Pourtant un des principes qui organise la structure du livre correspond tout à fait à un schéma du roman d'aventures : à savoir la lutte d'un héros – et celle de personnages qui l'aident – contre une force extérieure. Les grands types de personnages d'un tel roman (qui prend sa source dans le schéma du conte) se retrouvent ici : l'agresseur (la peste), le héros (Rieux), les auxiliaires (les autres[1] héros, hormis Cottard).

L'intérêt que l'on prend à lire *La Peste* pour la première fois tient en partie au récit des rebondissements successifs du combat – très longtemps vain – que mènent les personnages contre le fléau, et au souci que l'on a de savoir comment, de ce point de vue, se terminera l'aventure.

De la même façon, les tentatives répétées de Rambert pour sortir d'Oran, ses rencontres avec des personnages successifs plus ou moins mystérieux participent de l'intrigue d'un roman d'aventures.

L'entrecroisement des intrigues

La lutte contre le fléau ne constitue pas le seul ressort dramatique du roman. Des aventures secondaires qui s'entrecroisent viennent conférer une certaine densité à l'œuvre et participent à sa structure d'ensemble : Grand se joint très vite au combat contre la peste, mais il accomplit de son côté, dès le début, un travail solitaire d'écrivain, évoqué à plusieurs reprises, jusqu'à l'avant-dernier chapitre. Cottard mène des affaires louches et son aventure est narrée depuis le deuxième chapitre, où il tente de se suicider, jusqu'au dernier, où il est arrêté.

---

1. L'une des sources d'inspiration de Camus a été le roman *Moby Dick* du romancier américain Melville ; l'auteur y raconte les aventures du capitaine Achab lancé à la poursuite d'une baleine blanche.

Rambert poursuit des démarches pour sortir de la ville du début de la deuxième partie jusqu'au début de la quatrième ; puis il renonce au départ, avant de retrouver sa compagne dans les dernières pages. Le récit circonstancié de ses démarches occupe environ un dixième de l'espace du livre (environ 27 pages sur les 279, réparties en quatre chapitres différents). Le lecteur est amené en particulier à suivre, parfois heure par heure et en tout cas jour par jour, le récit des journées qu'il consacre à sa tentative d'évasion. Comme Rieux qui lutte contre la peste, comme Grand qui lutte contre les mots, Rambert lutte contre l'emprisonnement qui le sépare de la femme aimée.

Même autour d'un personnage secondaire comme M. Othon, le romancier tisse un récit multipliant les apparitions du juge et évoquant la maladie de son fils puis sa mort, avant de raconter comment le juge, resté apparemment indifférent jusque-là, rentre à son tour dans la lutte contre le fléau.

Autre fil d'intrigue, l'histoire conjugale du docteur Rieux se tisse de façon très discrète tout au long du roman depuis le départ de son épouse pour la montagne (p. 17-18), jusqu'à l'annonce, par télégramme, de sa mort (p. 264). [Voir p. 23, 25, 79, 81, 86, 105, 117, 140, 174, 191, 255.] Ce fil d'intrigue constitue un élément fort de la structuration du roman : en effet, l'histoire conjugale de Bernard Rieux s'inscrit exactement dans les mêmes limites chronologiques que l'aventure des Oranais livrés au fléau. Au début du roman, Rieux se sépare de son épouse qui part se soigner en montagne : c'est le moment où l'on découvre, signe annonciateur de la peste, des rats morts dans son immeuble. A la fin du livre, au moment même où la maladie est vaincue, Rieux apprend la mort de sa femme. L'ensemble du récit est ainsi encadré à la fois par deux événements essentiels de la vie collective des Oranais et par deux événements douloureux de la vie personnelle du héros.

■■■■■■ UN ROMAN A ÉNIGMES

Autre élément de structuration du récit, quelques énigmes jalonnent le récit de *La Peste*. Ainsi les activités vespérales de Grand restent-elles longtemps mystérieuses.

« J'ai d'autres soucis », dit-il à Rieux, sans s'expliquer davantage et sans que le lecteur comprenne de quels tracas il s'agit (p. 25). « Un travail personnel », dit-il d'un air embarrassé mais sans autre précision pour indiquer quelle était son activité au moment où Cottard a frappé à sa porte (p. 37). « Mes soirées sont sacrées », annonce-t-il au docteur sans lui expliquer à quoi il les consacre (p. 46) et celui-ci lui trouve un « air de petit mystère » (p. 47). Ici ou là, l'auteur sème des indices comme ce tableau noir sur lequel on peut lire, « à demi effacés, les mots : " allées fleuries " » (p. 36), indices qui se multiplieront (p. 37, 45, 46, 47, 49, 57, 97, 98) jusqu'au moment où Grand montre à Rieux la phrase qu'il réécrit sans cesse (p. 98).

L'énigme concernant la personnalité et les activités de Cottard parcourt le récit (p. 24, 38, 55, 56, 57, 58, 59, 135), depuis l'évocation de son suicide manqué (p. 24) jusqu'au moment où il avoue à Tarrou, devant Rieux, qu'il est poursuivi par la police (p. 147) ; et ceci donne sens après coup à l'attrait du personnage pour les films de gangsters (p. 55) et pour les romans policiers (p. 58) ou à son désir de se concilier les gens de son entourage. On se souvient d'ailleurs des intentions de Camus à l'égard de ce personnage de Cottard : il a souhaité cultiver l'énigme en prenant le personnage « à l'envers » et en ne révélant qu'à la fin « qu'il avait peur d'être arrêté » (voir ci-dessus, p. 17-18).

Quant au mystère de l'identité du narrateur, il ne sera éclairci, on le sait, qu'au dernier chapitre.

6 Les personnages

■■■■■■ LE SYSTÈME DES PERSONNAGES

Les personnages d'un roman se constituent, entre autres, par des effets de similitude, de différenciation ou d'opposition : le romancier en joue pour les caractériser les uns par rapport aux autres.

Un monde d'hommes

La Peste met en scène essentiellement des hommes. Les femmes sont présentes dans le récit à travers les préoccupations dont elles sont l'objet : la femme de Rieux, la compagne de Rambert, l'ancienne épouse de Grand apparaissent chacune – presque toujours sur le seul mode de l'évocation – dans plusieurs séquences du récit. Mais il n'y a, à la vérité, qu'un seul personnage féminin dans ce roman : la mère de Rieux, dont les apparitions donnent au récit une intensité particulière.

Un monde de solitaires et « d'exilés »

Les relations entre les personnages s'organisent essentiellement autour du docteur Rieux : médecin, il a eu l'occasion de soigner Grand dans le passé ; il est appelé pour s'occuper de Cottard après sa tentative de suicide ; il est interviewé par le journaliste Rambert ; il est sollicité par Tarrou pour des raisons de santé publique, etc. C'est Rieux qui constitue le lien entre les divers héros du livre (il est relayé parfois par Tarrou).

Or, si ces personnages ont tous un passé, ce n'est pas un passé commun. Au début du livre, Rieux ne connaît véritablement aucun des héros du roman. Il fait la connaissance

de Rambert au deuxième chapitre ; il a rencontré quelque-
fois Tarrou chez des voisins. Il n'a pas revu Grand depuis
longtemps. Cela fait de Rieux, au début du roman, un
héros particulièrement solitaire, qui croise d'autres personnages tout aussi solitaires : non seulement parce qu'ils vivent seuls, mais parce qu'ils ne connaissent guère les
autres (p. 25-28, etc.) Le livre constituera ainsi le récit de
l'élaboration progressive d'une solidarité entre des
hommes marqués initialement par la solitude.

Camus a tenu à multiplier les cas de figure de la séparation : Grand est séparé de celle qu'il aime parce qu'elle l'a
quitté ; Rieux est séparé de sa femme, partie se soigner
en montagne ; Rambert est loin de sa compagne restée à
Paris ; et M. Othon se trouve à deux reprises éloigné de
son épouse à cause des mesures d'isolement.

Des couples de personnages

Le romancier a également construit des personnages
par couples pour donner une consistance romanesque aux
quelques grands thèmes qui le préoccupent. C'est ainsi
que sont mis face à face l'homme d'action et l'intellectuel
– Rieux et Tarrou – qui incarnent des principes différents
mais non antinomiques concernant l'action dans la cité.
Dialoguent aussi le médecin au service des hommes et
l'individualiste cherchant son propre épanouissement –
Rieux et Rambert – au sujet de leur conception du bonheur. S'opposent enfin, selon une grande tradition du
roman réaliste, le médecin et le prêtre, Rieux et Paneloux,
confrontant leurs réactions face au Mal dans le monde.
Cette distribution de la parole entre des couples de personnages, qui se différencient l'un par rapport à l'autre par
une série de traits, bannit du roman tout didactisme.

■■■■■ LA CARACTÉRISATION DES PERSONNAGES

On constatera d'abord le nombre important de personnages que comporte *La Peste* : on en dénombre plus
d'une trentaine qui donnent à l'univers du livre une réelle
épaisseur romanesque.

Des personnages ancrés dans le réel

● Des personnages visualisés

Camus néglige rarement la présentation physique de ses personnages. Rieux, qui paraît 35 ans (p. 33), est de taille moyenne, a les épaules fortes, les yeux sombres, les cheveux noirs, coupés court. Tarrou, « homme encore jeune », est doté d'une « silhouette lourde », d'un « visage massif et creusé, barré d'épais sourcils » (p. 19). Grand, « homme d'une cinquantaine d'années » a « les épaules étroites et les membres maigres » (p. 24) ; il flotte « au milieu de vêtements [...] toujours trop grands » (p. 47). Des notations physiques analogues permettent de visualiser ainsi Rambert, « Court de taille, les épaules épaisses, le visage décidé, les yeux clairs et intelligents » vêtu « d'habits de coupe sportive » (p. 18) ou Paneloux (« de taille moyenne, mais trapu », p. 91).

● Des personnages lestés d'un passé

Ce qui contribue à ancrer les héros du livre dans le réel, c'est qu'ils sont lestés d'un passé : Cottard est poursuivi par « une vieille histoire » (p. 147) ; Rieux prend conscience qu'il a quelque peu négligé sa femme et il évoque le besoin de lui demander pardon ; Castel a été médecin en Chine puis à Paris ; Grand a nourri en vain quelques espoirs de promotion sociale, a vécu une histoire d'amour, a mené une existence monotone et pauvre avec sa femme qui, un jour, l'a quitté. Tarrou évoque ses rapports avec son père, son départ de la maison familiale, les expériences qui l'ont profondément marqué, etc.

● Des langages-portraits

Les propos tenus par les personnages contribuent à les caractériser. A cet égard, Camus donne à chacun son langage. Les discours de Grand, ceux de Cottard ajoutent quelques touches à leur portrait. Parfois, certaines notations concernant le style oral employé suffisent même à conférer une réelle « existence » à certains personnages comme le veilleur de nuit, caractérisé par des propos à l'emporte-pièce (p. 109) ou le directeur de l'hôtel au discours marqué par le conformisme et la courte vue (p. 33).

Certes, cette inscription des personnages dans le réel reste très légère et n'évoque en rien la méthode balzacienne ; elle contribue néanmoins à les individualiser et à leur donner vie par les moyens classiques du roman.

Des attitudes devant la peste

La multiplicité des personnages mis en scène par Camus permet d'évoquer une réelle diversité des attitudes devant la peste. Le fléau de la peste constitue un symbole : il figure le Mal dans le monde (la souffrance, la mort, l'absence de signification du monde) ; il représente aussi la guerre (en particulier la Seconde Guerre mondiale) et le fascisme (voir chapitre 11, p. 63).

Par ailleurs, la mort ou la guerre « sépare » des êtres qui sont attachés l'un à l'autre : l'évocation de cette souffrance affective est l'un des grands thèmes du livre dans lequel Camus veut témoigner en faveur de ceux qu'il appelle précisément des « séparés ». C'est dans cette double perspective que l'on pourra présenter succinctement les principaux héros du livre.

● Rieux

Au sens romanesque du terme, Rieux apparaît comme le héros du livre. Il est au centre de l'action ; c'est vers lui que convergent tous les personnages principaux du roman. Rieux est d'abord un « séparé » : au début du récit, sa femme part pour aller se soigner en montagne ; à la fin, elle meurt. Rieux sera donc séparé d'elle d'abord par la distance et la fermeture de la ville, ensuite par la mort. Et nous verrons comment de façon discrète est évoquée la souffrance qui l'étreint à plusieurs reprises et dont on peut penser qu'elle ne le quitte jamais.

Il est le premier à s'engager pleinement dans la lutte contre la peste parce que c'est son métier mais aussi à cause de ses qualités humaines et de son éthique personnelle. Au nombre de ses qualités, il faut compter la lucidité et l'honnêteté qui lui font contester l'attitude de l'administration au moment où celle-ci a la tentation de dissimuler la vérité sur le fléau aux habitants d'Oran. L'intervention de Rieux aboutira à ce que soit déclaré « l'état de peste » et à ce que soit fermée la ville (p. 64). Autre qualité du docteur Rieux : sa bonté qui se caractérise d'abord par un pouvoir de sympathie et par une compréhension d'autrui, dénuée de tout jugement moral. Ne voulant pas rédiger de certificat de complaisance, il n'apporte pas son aide à Rambert qui souhaite s'enfuir ; mais il comprend sa recherche du bonheur. Cette ouverture à autrui lui vaut la confiance de tous les personnages du livre. Des hommes aussi différents que Grand et Cottard utiliseront la même formule à son égard : « J'ai confiance en vous » (p. 60, 81).

Enfin Rieux est fondamentalement modeste : il fait ce qu'il croit devoir faire sans jamais se donner en exemple, sans même inviter les autres à le rejoindre : ce sont eux qui lui proposeront leur aide. Modeste, il l'est aussi, en ce qu'il affirme à plusieurs reprises, avec honnêteté, les limites et le caractère relatif de son savoir et de ses certitudes. A propos de l'utilité du sérum et du bacille de la peste tel qu'il se manifeste à Oran, il dira : « Nous ne savons rien de tout cela » (p. 58). Et à une question sur Dieu, auquel il ne croit pas, il répondra : « Je suis dans la nuit, et j'essaie d'y voir clair » (p. 119).

Les motivations de son action contre le fléau se trouvent d'abord dans son métier de médecin : il dit à plusieurs reprises que devant le mal qui accable Oran, l'essentiel est de « bien faire son métier » (p. 44, 151), ce qui constitue un des principes de sa morale personnelle. Mais son combat a aussi d'autres fondements qui tiennent à sa perception de la condition humaine. Il ne croit pas en Dieu et ne peut admettre d'accepter passivement un monde où les enfants meurent dans la souffrance. Sa révolte se manifeste en particulier devant le père Paneloux, au moment de la mort du petit Othon (p. 198). Son métier est pour lui l'occasion de lutter « contre la création telle qu'elle [est] » (p. 120) et de manifester sa solidarité avec tous ceux qui souffrent. « Bien faire son métier » pour le docteur Rieux, c'est donc aussi bien faire son métier d'homme.

Enfin, on apprendra à la fin du roman que Rieux est le narrateur du livre : il manifeste ainsi son souci de témoigner de ce qu'ont vécu les victimes de la peste, les victimes du Mal dans le monde, autre geste de solidarité envers les hommes.

● Tarrou

Tarrou est, Rieux mis à part, le personnage qui occupe le plus de place dans *La Peste*. C'est le seul dont Camus livre tout le passé dans sa continuité. Fils d'un avocat général dont le métier consistait à faire condamner certains accusés à la peine capitale, il a éprouvé un rejet profond pour la peine de mort ; il s'engage alors dans la lutte révolutionnaire afin de combattre une société qui légitime la mise à mort. Puis il découvre que les tenants de la révolution pratiquent aussi la condamnation à mort. Il décide alors de « refuser tout ce qui, de près ou de loin, [...] fait mourir ou justifie qu'on fasse mourir » (p. 228). Cela fait de lui un « exilé », un séparé d'une foi en un idéal qui avait pu donner sens à sa vie. Désormais, sans illusions, Tarrou apparaîtrait comme désabusé si ne restait en lui la recherche d'une forme de paix dans ce monde habité par le Mal (la mort que les hommes se donnent les uns aux autres) et l'absurde. Cette paix, il tente de la trouver – sans y parvenir –, d'abord peut-être dans l'acceptation de l'insignifiance du monde : il s'intéresse à l'homme qui crache sur les chats ou à un vieil asthmatique qui compte le temps en transvasant des petits pois d'une marmite à une autre. Il tente aussi de la trouver dans l'attitude de compréhension et de sympathie qu'il manifeste à l'égard des hommes et qui définit sa morale (p. 229). Cette morale qui lui fait refuser l'action politique le conduit à s'engager auprès de ceux qui souffrent – au risque de sa vie comme le montrera la fin du roman. Il crée « les formations sanitaires », ce qui symbolise ce qu'a pu être, pendant la guerre, la création d'une organisation de résistance.

● Rambert

Rambert, journaliste envoyé pour quelques jours à Oran, est doublement un « séparé » : il n'est pas de la ville ; il ne peut rejoindre la compagne qu'il aime et qui est restée à Paris. Étranger au pays, il se considère comme non concerné par la peste : tous ses efforts vont consister à effectuer des démarches pour pouvoir sortir d'Oran et ceci, non par manque de courage (il a participé à la guerre d'Espagne) mais par souci de ne pas perdre de temps pour être heureux. Quand, enfin, ses efforts semblent pouvoir aboutir, il décide de rester, et ce pour deux raisons : il a découvert que cette « affaire » concernait tout le monde ; il a compris aussi que la honte qu'il éprouverait à choisir le départ et le bonheur purement personnel, « le gênerait pour aimer celle qu'il avait laissée » (p. 190). C'est donc au nom d'une certaine conception du bonheur et du sens de la dignité qu'il fait ce choix difficile de la solidarité avec les autres, choix fondé sur des sentiments plutôt que sur des raisonnements.

C'est un des personnages les plus « humains » du roman, qui évolue au fil du récit (comme le feront aussi le juge Othon et le père Paneloux). Rambert représente ceux qui, dans l'Histoire, ont mis quelque temps à rejoindre la Résistance. Par ailleurs, il exprime par l'ensemble de son comportement, la nécessité vitale de l'aspiration au bonheur – tout à fait essentielle pour Camus.

● Grand

Grand, modeste employé de mairie, est un personnage plus complexe qu'il n'y paraît. Il incarne le « séparé » au sens le plus simple du terme, puisque cette séparation n'est pas due à la fermeture de la ville, mais à la pauvreté de ses conditions de vie qui a fini par éloigner la femme qu'il avait épousée. Le sens de l'entraide est inné en lui : c'est un des premiers mots qu'il prononce (p. 25).

Le narrateur le traite avec un humour empreint de tendresse lorsqu'il évoque sa recherche désespérée du mot juste – qui l'empêche d'écrire une lettre de réclamation à l'administration ou une lettre d'amour à sa femme – ; cette même recherche le conduit à ne rédiger que la première phrase d'un roman, cent fois remaniée, et comportant toujours une série de clichés.

La modestie de sa profession, les limites de son ambition littéraire, la petitesse des résultats obtenus confèrent à son patronyme un caractère paradoxal et donc apparemment humoristique. Et pourtant le personnage se révèle effectivement « grand » par le dévouement qu'il manifeste sans relâche, par la générosité de ses réactions, par l'honnêteté de toutes ses attitudes, par la justesse de ses jugements, par l'humilité et pourtant la grandeur de la recherche par laquelle il tente de donner sens à sa vie. Camus propose de faire de cet antihéros celui qui incarne le mieux une certaine conception de l'héroïsme (voir chapitre 12). C'est probablement le personnage le plus émouvant du roman.

● Paneloux

Paneloux incarne le chrétien qui manifeste la volonté de rechercher avant tout le salut des hommes (par opposition à Rieux qui n'est pas croyant et qui se préoccupe de leur santé). Il est l'homme de foi qui voit d'abord dans la peste le signe d'une condamnation divine : lors du premier des deux prêches qu'il prononce, il utilise la peste pour faire revenir les Oranais à des sentiments chrétiens. Après la mort du petit Othon, il affirmera qu'il faut « aimer ce que nous ne pouvons comprendre » (p. 198).

Mais c'est un personnage qui évolue. Il se décide à entrer dans les « formations sanitaires » ; et, bouleversé par la mort du petit Othon, il prononce un second prêche tout différent du premier : il y pose de façon beaucoup moins moralisatrice et dogmatique la question du Mal dans le monde. Il finira par mourir lui aussi de la peste, en refusant les soins de la médecine, pour témoigner jusqu'au bout de sa foi en Dieu. Pourtant, Rieux n'est pas sûr que le mal qui l'a atteint soit la peste. Sur sa fiche, on inscrira « cas douteux ». Un critique formule l'hypothèse que l'expression « cas douteux » vaut aussi pour la foi de Paneloux dans les derniers moments, foi dont le texte indique qu'elle a peut-être vacillé (p. 211) [1].

Sur le plan philosophique, ce personnage fait entendre la voix d'un croyant devant la mort et le Mal. Sur le plan historique, il reflète peut-être, à travers son premier sermon, la pensée de certains responsables du début de l'Occupation qui expliquaient que les Français avaient « mérité » la défaite qu'ils venaient de subir. Mais surtout, une fois qu'il entre au service des « formations sanitaires », il représente, dans le livre, tous les chrétiens qui, pendant la Seconde Guerre mondiale, se sont engagés dans la Résistance.

---

1. Jacqueline Levi-Valensi : *La Peste de Camus*. Voir bibliographie.

• Cottard

Cottard est un personnage de roman d'aventures : il ouvre presque le livre par l'annonce qui est faite de son suicide ; il le clôt par le récit de son arrestation brutale. Sa vie est quelque peu énigmatique, et les conversations des autres héros aideront le lecteur à comprendre qu'il craint la police pour des méfaits qu'il a commis.

L'état de peste lui convient tout à fait : il n'est plus inquiété, fait du trafic, noue des relations utiles, etc. Il est clair qu'il ne fait pas partie des « séparés » ; mais il a peur d'être « séparé des autres » (p. 178). Il figure le profiteur de la situation, le type de ceux qui, pendant la guerre, ont fait du marché noir, et peut-être souhaité que la situation d'occupation se prolonge, au nom de leur seul propre intérêt. Cottard approuve ainsi « dans son cœur ce qui [fait] mourir des enfants et des hommes ». A la fin du livre, son arrestation illustre les moments de « l'épuration » qui, en 1945, a visé à éliminer tous les collaborateurs, ou tous ceux qui avaient profité de la situation créée par l'Occupation.

Le rapport des personnages à l'auteur

Les principaux personnages de *La Peste* ont en commun avec Camus la pratique de l'écriture : comme Camus, Rambert est journaliste ; comme Camus, Grand écrit un roman et Rieux rédige une chronique. Comme Camus encore, Tarrou confie ses réflexions à des « carnets »[1]. On a coutume de voir en Rieux le porte-parole de l'auteur, ce qui est en grande partie vrai. Mais il est probable (nous le vérifierons) que Camus a confié certaines de ses angoisses d'écrivain à Grand, qu'il exprime certains aspects de sa conception du bonheur par la voix de Rambert, et que, par l'entremise de Tarrou, il explique son rejet de toute condamnation à mort et de certains types d'action révolutionnaire. Il reste, bien sûr, que Rieux est le personnage le plus proche de l'auteur.

---

1. Camus publiera des *Carnets* chez Gallimard.

7 | Illusion du réel et réalisme

UN ROMAN-CHRONIQUE

Dès la première phrase, le livre se présente comme étant constitué par une « chronique », c'est-à-dire par un récit qui rapporte les événements et les faits selon l'ordre du temps. C'est le procédé qu'ont utilisé ceux qu'on appelle « les chroniqueurs » pour raconter des événements historiques. La chronique est donc censée évoquer des événements réels. Or les mots « chronique » ou « chroniqueur » apparaissent quatre fois dans le premier chapitre de *La Peste*; c'est là un procédé d'illusion romanesque : on donne à croire au lecteur qu'il va lire une histoire qui s'est réellement déroulée. Il serait donc inexact de dire que *La Peste* est une chronique : c'est un roman qui prend les apparences d'une chronique pour mieux assurer l'illusion du réel.

Un déroulement chronologique du récit

Camus pousse jusqu'au bout la logique de la chronique : il respecte scrupuleusement le principe du déroulement chronologique du récit, s'interdisant toute anticipation. Le roman prend ainsi le caractère d'une reconstitution scrupuleuse des faits dans l'ordre même où ils se sont produits et avec la signification qu'ils avaient au moment même où ils sont survenus. Cette volonté de conférer au roman l'allure d'une chronique explique aussi sans doute le refus de donner des titres aux chapitres qui se succèdent. La présence de titres soulignerait en effet le caractère romanesque, fictif du livre.

Dates et repères temporels

Appartiennent aussi au genre de la chronique les indications précises de dates ou de points de repères temporels (voir ci-dessus, p. 21-22).

Les indications chronologiques apparaissent tout au long du roman : élément conforme à ce qu'est une chronique, la chronologie fournit souvent le principe de transitions, non seulement d'un paragraphe à l'autre, mais aussi d'un chapitre à l'autre (p. 14, 54, 67, 89, 106, 124, 173, 184, 192, 212, 255, 265) et apparaît ainsi comme commandant le déroulement du récit.

On ajoutera enfin que le caractère historique de la prétendue chronique est renforcé par l'affirmation de l'existence de témoignages et de documents que le narrateur utilise, soutient-il, pour élaborer son récit (p. 14).

▮▮▮▮ LES ÉLÉMENTS DU RÉALISME

On sait que Camus refusait les principes du réalisme au sens premier du terme. Il exerce une tendre ironie à l'égard de Grand qui voudrait que la première phrase de son roman traduise bien par le rythme le trot des chevaux dont il parle : « Un, deux, trois… »

Le décor de la ville

Visiblement Camus a tenu à insérer son roman dans le réel : la fiction narrative s'inscrit dans un univers concret. Les lieux évoqués renvoient à la réalité de la ville d'Oran : noms des rues et des monuments, caractéristiques des différents quartiers, atmosphère générale de la ville. Oran est présentée comme une cité à la fois jaune et grise (p. 43), dorée et poussiéreuse (p. 170), « tournant le dos » à la mer (p. 13) et « bâtie en escargot sur son plateau » (p. 36) ; ces indications sont brèves, mais, mentionnées à plusieurs reprises au cours du roman, elles donnent à l'évocation de la ville une réelle densité. Certaines de ces notations servent la satire ou constituent un élément symbolique (voir plus loin). Mais elles témoignent d'abord du souci de Camus d'insérer son récit dans un décor.

Les notations concrètes

Le récit s'insère aussi dans le réel grâce aux notations concrètes qui le parcourent : évocation de l'allure physique des personnages (voir ci-dessus, p. 37) ; allusion à des scènes du quotidien (coq sautillant dans un café, p. 133, enfants jouant à la marelle dans la rue, p. 60) ; gestes pris sur le vif, comme celui de la mère qui examinait « soigneusement, au bout de ses aiguilles, une maille dont elle n'était pas sûre » (p. 259) ; évocation de tons de voix ou de jeux de physionomie ; notations auditives : timbre des tramways (p. 44), sifflement bref et répété d'une scie mécanique (p. 44), sonneries de clairon dans le ciel encore doré (p. 81), bourdonnement confus dê la ville (p. 81). Certaines de ces évocations révèlent chez l'auteur une grande acuité des sensations et proposent une vision spécifique du réel (« les lampes au-dessus des rues obscurcissent tout le ciel en s'allumant », p. 46) ; d'autres atteignent une réelle dimension poétique (« La nuit, les grands cris des bateaux invisibles, la rumeur qui montait de la mer et de la foule qui s'écoulait, cette heure que Rieux connaissait bien et aimait autrefois… », p. 59).

Le réel enfin s'impose dans les diverses évocations de la maladie, des « taches rouges sur le ventre et les cuisses », « l'enflure des ganglions » (p. 87). Camus a eu le souci de réunir une documentation scientifique propre à lui permettre de décrire le mal. Ses notes témoignent de nombreuses lectures à cet égard[1]. Et il utilisera ces notes dans plusieurs passages du roman pour décrire les manifestations diverses et les différentes formes de la maladie.

Si Camus manifeste ainsi le souci d'insérer son récit dans la réalité, c'est peut-être, comme le font les romanciers traditionnels, afin d'assurer l'illusion romanesque ; c'est aussi parce qu'écrivant une histoire symbolique, il tient à ce que ce symbole surgisse d'une réalité qui s'impose. Commentant l'œuvre de Melville, il appréciait que le romancier américain ait « construit ses symboles sur le concret ». Le créateur de mythes, ajoutait-il, doit les inscrire « dans l'épaisseur de la réalité ». C'est ce qu'il a fait lui-même, dans La Peste (voir chapitre 11).

---

1. Dont celle d'un livre du père de Marcel Proust, le médecin Adrien Proust.

Satire et humour

▬▬▬ LA SATIRE

La satire de personnages

• Le trait satirique

La satire atteint assez peu les personnages dans *La Peste*. Quelques travers sont parfois stigmatisés de façon à faire sourire le lecteur. C'est ainsi que le directeur de l'hôtel, qui a découvert des rats morts dans son ascenseur, se montre particulièrement choqué. A Tarrou qui lui fait remarquer que « tout le monde en est là », il répond : « Justement, [...] nous sommes maintenant comme tout le monde » (p. 33). La discrète ironie de l'auteur vise ici la prétention du personnage à appartenir à un groupe hors du commun ; elle met aussi en valeur le décalage entre la futilité du motif d'indignation et la gravité de la situation.

• La caricature

La satire des personnages use parfois des moyens de la caricature. M. Othon est ainsi présenté comme « une chouette bien élevée », aux côtés de sa femme « menue comme une souris noire » et de ses deux enfants « habillés comme des chiens savants » (p. 32). C'est le conformisme et la raideur du personnage social de M. Othon qui sont ici visés (on notera d'ailleurs qu'il est le seul personnage important du livre à être dénommé « Monsieur » par le narrateur).

• Le ton du moraliste

Une seule fois dans le roman, Camus se laisse aller à brosser un portrait satirique à la façon des moralistes français : c'est au moment où il présente Joseph Grand (p. 47). « A première vue [...] Joseph Grand n'était rien de plus que le petit employé de mairie dont il avait l'allure. Long et maigre il flottait au milieu de vêtements qu'il choisissait toujours trop grands, dans l'illusion qu'ils lui feraient plus d'usage. [...] Si l'on ajoute à ce portrait une démarche de séminariste, l'art de raser les murs et de se glisser dans les portes [...], on reconnaîtra que l'on ne pouvait pas l'imaginer ailleurs que devant un bureau, appliqué à réviser les tarifs des bains-douches de la ville [...] ».

Camus pousse l'ironie jusqu'à donner à ce personnage insignifiant le patronyme « Grand » (voir plus loin, p. 73). Ailleurs dans le roman, le narrateur fait sourire le lecteur aux dépens de ce même personnage, chaque fois qu'il évoque sa recherche désespérée du mot juste qui lui fait retravailler cent fois la même phrase et qui ne débouche que sur l'écriture de clichés.

• Une satire sans cruauté

A la vérité, cette satire des personnages n'est jamais cruelle chez Camus : elle n'atteint que l'apparence des hommes. A cet égard, on sera attentif à l'expression « A première vue » par laquelle commence le portrait de Grand et qui a une portée plus importante qu'il n'y paraît. Car ce personnage insignifiant en apparence montrera, dans la suite du récit, sa vraie grandeur. Et même lorsque Camus évoque en souriant les vaines tentatives romanesques de son héros, il le fait avec une ironie empreinte de sympathie. Et si le personnage de M. Othon est quelque peu ridiculisé au début du roman, il atteint ensuite – dès le moment où son fils est mourant – à une profonde humanité et sa conduite inspire alors le respect.

La satire des pouvoirs

La satire, dans *La Peste*, se fait bien plus incisive lorsqu'elle s'adresse aux pouvoirs organisés, en particulier à l'administration de la ville : celle-ci se révèle incapable de prendre des décisions qui soient en adéquation avec la réalité, engluée qu'elle est dans la routine, le respect figé des procédures, le souci excessif de l'opinion publique. Au moment où, devant la gravité de la situation, le préfet réunit les médecins, le docteur Castel ose poser la question de « savoir s'il s'agit de la peste ou non ». Alors, écrit le narrateur, le préfet « sursauta et se retourna machinalement vers la porte, comme pour vérifier qu'elle avait bien empêché cette énormité de se répandre dans les couloirs » (p. 50-51).

Ailleurs, le narrateur s'en prend aux mesures dérisoires que prend l'administration en inventant des décorations spécifiques pour les gardiens de prisons morts de la peste. Son ironie concerne aussi les solutions méthodiques que les autorités apportent à des problèmes qui sont, au regard de la situation, futiles. C'est ainsi qu'elles prévoient des enterrements collectifs dans deux fosses distinctes, celle des hommes et celles des femmes : « De ce point de vue, ironise le narrateur, l'administration respectait les convenances » (p. 162).

Camus s'en prend ainsi, avec un sourire grinçant, à l'inadéquation entre des comportements et la réalité des faits.

La satire du langage

D'une façon plus générale, Camus use de la satire pour démystifier toute une série de propos. Il traque tout ce qui, dans le langage, ne rend pas un son d'authenticité.

L'une de ses armes favorites pour ce faire est le pastiche : pastiche du style journalistique (« Nos édiles se sont-ils avisés du danger que pouvaient présenter les cadavres putréfiés de ces rongeurs ? », p. 33) ; pastiche de la rhétorique ecclésiastique héritière de Bossuet (« Mes frères, vous êtes dans le malheur, mes frères, vous l'avez mérité », p. 91) ; pastiche du langage d'une certaine bourgeoisie incarnée par M. Othon (« J'attends Mme Othon qui est allée présenter ses respects à ma famille », p. 18) ; pastiche encore du langage publicitaire dont est souligné le caractère inadéquat dans cette prison qu'est devenue Oran (« Au mur, quelques affiches plaidaient pour une vie heureuse et libre à Bandol ou à Cannes », p. 104).

La satire se fait plus mordante dans les séquences où Camus souligne l'inadéquation entre le langage et le réel. Au début du roman, il dénonce ceux qui masquent la réalité en refusant de la nommer : c'est ainsi que les autorités n'osent pas *désigner* la peste : au bout d'une longue discussion, elles se résignent à prendre « la responsabilité d'agir *comme si* la maladie était une peste » (p. 53). Ailleurs, après avoir livré le contenu de l'affiche préfectorale qui annonce pour les malades l'équipement de « salles spéciales de l'hôpital » (p. 55), il dénonce l'hypocrisie de l'expression et l'ironie se fait alors amère ; le narrateur dit du docteur Rieux : « Quant aux " salles spécialement équipées ", il les connaissait : deux pavillons hâtivement déménagés de leurs autres malades [...]. Si l'épidémie ne s'arrêtait pas d'elle-même, elle ne serait pas vaincue par les mesures que l'administration avait imaginées », (p. 61).

Camus s'en prend aussi à tous ceux qui, comme Rambert à un moment du récit, pensent que lutter contre le malheur des hommes, c'est agir pour une « abstraction » (p. 84). Ce mot reviendra comme un leitmotiv : le narrateur l'opposera de façon ironique et amère à toutes les visions concrètes de la maladie et de la souffrance.

■■■ LA DISTANCE HUMORISTIQUE

Une des caractéristiques du ton du récit dans de nombreux passages de *La Peste* est l'humour. Le dictionnaire Robert indique que l'humour est une « forme d'esprit qui consiste à présenter la réalité de manière à en dégager des aspects plaisants et insolites ». On ajoutera que l'humour suppose une distance par rapport aux faits, presque une indifférence – feinte –, qu'on ne trouve pas dans l'ironie, qui trahit davantage un engagement, une implication de l'auteur dans les propos qu'il énonce.

Scènes humoristiques

La Peste comporte quelques courtes scènes humoristiques comme celle où Grand explique à Rieux son souhait de réussite littéraire : il voudrait que son éditeur lise son livre puis se lève et dise à ses collaborateurs « Messieurs, chapeau bas ! » C'est alors que le narrateur s'amuse en écrivant : « Quoique peu averti des usages de la littérature, Rieux avait cependant l'impression que les choses ne devaient pas se passer aussi simplement et que, par exemple, les éditeurs, dans leurs bureaux " devraient être *nu-tête*. " » Le comique de la séquence tient d'abord à la prudence de l'expression initiale (« quoique peu averti ») qui souligne en fait la naïveté de Grand ; il consiste aussi en la surprise créée en fin de phrase dans la mesure où le lecteur qui pensait partager l'avis de Rieux (« les choses ne sont pas aussi simples ») ne songeait nullement à la difficulté de l'absence de chapeau. Il réside enfin dans la plaisanterie qu'il y a à prendre au propre l'expression figurée « chapeau bas » (p. 98).

L'humour noir

Ici ou là, la distance humoristique que maintient le narrateur par rapport aux faits qu'il évoque prend la forme de l'humour noir. C'est ainsi qu'il explique comment la misère poussait les oisifs à se faire fossoyeurs et à remplacer dans cette fonction ceux qui mouraient. Il y eut même, précise-t-il, une liste d'attente et « dès qu'une vacance venait de se produire, on avisait les premiers de la liste qui, sauf si dans l'intervalle ils étaient entrés eux-mêmes en vacances, ne manquaient pas de se présenter » (p. 163). Derrière le ton du détachement, on perçoit ici les éléments d'un humour grinçant : jeu sur le mot « vacance » (euphémisme pour évoquer la mort), image d'une file ininterrompue qui passe, de façon automatique, du chômage à la tâche de fossoyeur puis de cette tâche au trépas ; l'administration et la mort sont toutes deux bien organisées.

Le même humour noir marque la scène où au théâtre municipal, Orphée se plaint « avec un excès de pathétique ». Le jugement est ici de nature esthétique et semble déprécier le jeu de l'acteur : en fait le lecteur découvre que les plaintes, apparemment trop pathétiques, sont dues à ce que l'acteur est mourant. Humour noir encore lorsque Camus se moque de Richard qui, au lieu d'agir, étudie les statistiques : le voilà tout réconforté lorsqu'il constate un jour que la maladie avait atteint « ce qu'il appelait un palier ». Sujet d'étude intéressant que le médecin ne peut prolonger puisqu'il est « enlevé par la peste, lui aussi, et précisément sur le palier de la maladie » (p. 213). Le réel vient ici se rappeler au souvenir de celui qui, en maniant les chiffres, l'oubliait.

Humour et absurde

Camus s'amuse parfois à donner à un fait relativement insignifiant des conséquences considérables, ce qu'il fait en pratiquant la technique du raccourci. On sait que Grand cherche sans cesse le mot juste pour dire les choses : c'est ce qui fait qu'il éprouve beaucoup de difficultés à écrire une lettre de réclamation à l'administration concernant une promotion promise et jamais obtenue ; et « C'est ainsi, poursuit le narrateur, que faute de trouver le mot juste, notre concitoyen continua d'exercer ses obscures fonctions jusqu'à un âge assez avancé » (p. 48).

Tarrou, dans ses carnets, pratique aussi le raccourci qui lui fait évoquer dans la même phrase un fait totalement anodin et ses conséquences désastreuses. Il relate ainsi l'histoire de Camps, musicien à l'Orphéon, orchestre municipal. Il a cru comprendre, d'après une conversation de tramway, que Camps était mort « après l'histoire des rats » sans doute parce qu'il avait la poitrine faible et que « toujours souffler dans un piston, ça use ». Et il se demande alors « pourquoi Camps était entré à l'Orphéon contre son intérêt le plus évident et quelles étaient les raisons profondes qui l'avaient conduit à risquer sa vie pour des défilés dominicaux » (p. 30).

Il y a aussi quelque humour à évoquer des phénomènes de répétition qui ôtent tout sens, jusqu'à l'absurde, à un comportement ou à une action : on songe, par exemple, au vieil asthmatique qui remplit inlassablement ses marmites de petits pois, ou aux comédiens qui, dans l'impossibilité de quitter Oran jouent chaque semaine le même rôle : « chaque vendredi, notre théâtre municipal retentissait des plaintes mélodieuses d'Orphée et des appels impuissants d'Eurydice » (p. 182). La répétition mécanique ôte bien sûr toute signification profonde et toute portée réelle à la tristesse d'Orphée et au désespoir d'Eurydice.

Tarrou pratique cet humour de l'absurde : il évoque, en effet, sur le mode apparemment sérieux, une série de règles de conduite dénuées de signification, en feignant de donner un sens à des moments de vie qui n'en ont pas. Il note ainsi : « Question : comment faire pour ne pas perdre son temps ? Réponse : l'éprouver dans toute sa longueur. Moyens : passer des journées dans l'antichambre d'un dentiste, sur une chaise inconfortable ; vivre à son balcon le dimanche après-midi ; écouter des conférences dans une langue qu'on ne comprend pas, choisir les itinéraires de chemin de fer les plus longs et les moins commodes et voyager debout naturellement [...] » (p. 31).

L'importance de l'humour dans *La Peste* est grande. Le ton humoristique permet de garantir la distance du narrateur par rapport aux faits et d'éviter tout excès de pathétique. Cette distance humoristique confère à l'émotion, quand elle surgit, un caractère sobre et d'autant plus intense (voir chapitre suivant).

9 Narrateur et point de vue

◼◼◼ LA DISCRÉTION DU NARRATEUR

Un narrateur anonyme

A la première page du roman, au cours du troisième paragraphe du premier chapitre, surgit l'expression « notre petite ville », qui dévoile clairement, par l'usage du possessif de la première personne, la présence explicite d'un narrateur. La Peste constitue bien en effet un roman écrit à la première personne comme l'était L'Étranger et comme le sera La Chute. Mais le narrateur qui s'exprime dans La Peste a un statut particulier : il a été mêlé, dit-il, à tout ce qu'il raconte ; et pourtant, il semble qu'il n'ait joué aucun rôle de premier plan dans l'action. Il reste volontairement anonyme en indiquant qu'on le « connaîtra toujours à temps » (p. 14). Cette indication apprend au lecteur que le narrateur finira par dire qui il est, mais donne à penser que son identité est de peu d'importance. La révélation de son nom (c'est-à-dire Bernard Rieux), ne se produira qu'au début du dernier chapitre du livre (p. 273). L'anonymat aura donc été maintenu quasiment tout au long du roman.

Ce narrateur anonyme répugne toujours à se mettre au premier plan. Dès le premier chapitre, il s'évertue à parler de lui-même, soit sur le mode impersonnel du « on », en usant de formules comme « on doit l'avouer » (p. 11), « on peut dire » (p. 13), « on s'est proposé de faire ici la chronique » (p. 13), soit à la troisième personne : Camus met fréquemment sous sa plume des phrases comme « Le narrateur [...] n'aurait guère de titre à [...] » (p. 14), « Le [...] narrateur croit utile [...] » (p. 28), etc. Ainsi le personnage qui prend en charge le récit use de subterfuges pour ne jamais dire « je ».

Et lorsqu'il utilise le possessif de la première personne, c'est toujours celui du pluriel, affirmant ainsi qu'il se définit essentiellement par son appartenance à un groupe : lorsqu'il écrit « notre ville », il évoque ce qu'il a de commun avec tous les Oranais. Par l'usage de ce possessif pluriel, le narrateur se fond dans la masse des Oranais, donne à penser qu'il est l'un quelconque des habitants de la ville, et préserve ainsi son anonymat.

La formule « nos concitoyens »

Il est un cas où l'usage de ce possessif a une valeur particulière : c'est dans la formule utilisée sans cesse tout au long du roman : « nos concitoyens ». Que recouvre cet adjectif possessif pluriel « nos », en dehors du narrateur lui-même ? Il s'agit forcément d'Oranais, dont tous les autres habitants d'Oran sont des « concitoyens ». En utilisant ce possessif pluriel, le narrateur semble s'exprimer au nom d'un petit groupe d'Oranais[1] pour parler de tous les autres Oranais, victimes ordinaires du fléau. On peut penser aussi qu'il s'adresse aux *lecteurs* oranais qui prendront connaissance plus tard de son témoignage et dont tous les Oranais de l'époque de la peste sont les concitoyens. Autrement dit « nos concitoyens » signifie : *mes* concitoyens qui sont aussi *vos* concitoyens à vous lecteurs.

Mais, en fait, le narrateur s'adresse à un public bien plus vaste que celui des habitants d'Oran : si le possessif pluriel « nos » renvoie bien à la fois au narrateur et au lecteur, le mot « concitoyens » évoque les citoyens du monde : car Oran, dans *La Peste*, désigne bien le monde des humains. C'est bien le sens que Camus donne à ce mot lorsqu'il explique le but du narrateur, au dernier chapitre du livre : « Il a pris délibérément le parti de la victime et a voulu rejoindre les hommes, ses concitoyens [...] » (p. 273).

En tout état de cause, en multipliant l'usage de la formule « nos concitoyens » pour évoquer la vie et la conduite des Oranais (et des hommes en général), le narrateur se situe en retrait de l'histoire qu'il raconte, comme si les faits et gestes qu'il évoque n'avaient concerné que ses concitoyens et non – sauf exception – lui-même.

---

1. Le groupe des héros du livre comme on pourra le penser à deuxième lecture ?

« L'objectivité » du narrateur

Dès le premier chapitre, le narrateur affirme vouloir faire une œuvre de « chroniqueur » (p. 14) et « d'historien » (p. 14, voir aussi p. 125). Il déclare son intention de relater les faits et les événements qu'il connaît en s'appuyant sur son expérience personnelle, sur les confidences qu'il a reçues, sur les écrits qu'il a recueillis. Il s'agira, dans ce dernier cas, des notes professionnelles du docteur Rieux (p. 39), sans doute des discours de Paneloux et en tout cas des carnets de Tarrou que tantôt il retranscrit, tantôt il résume. Il s'agit ici de fonder, par l'utilisation de témoignages et de documents prétendument authentiques, ce que le narrateur appelle « l'objectivité » du récit ; ce souci sera à plusieurs reprises réaffirmé (p. 166, 273).

Cette recherche de l'objectivité et de la « vérité » des faits s'accompagne d'une grande modestie du propos : le narrateur multiplie les expressions comme « il est possible de le dire » (p. 28) ; « il est difficile de le dire » (p. 96) ; « il ne serait pas tout à fait juste de l'affirmer » (p. 166). Cette modestie du propos témoigne du souci de rigueur du chroniqueur qui ne veut rien affirmer d'exagéré, et de l'attention scrupuleuse que Camus porte à la justesse du langage : il veut restituer aux mots leur vrai sens et se refuse à en abuser.

Le détachement du narrateur

Le narrateur, dès le début du récit, tient à attester du caractère objectif de sa démarche en affectant un ton détaché. La première phrase du roman annonce que le livre va consister en la relation de « curieux » événements (p. 11) qu'on appellera plus loin des événements « singuliers » (p. 67). Ces euphémismes indiquent à quel point le narrateur veut, au début du moins, garder le ton froid du chroniqueur objectif qui enregistre les événements avec une apparente indifférence. Ce ton, en vérité, manifeste une forme de distance humoristique par rapport à une réalité horrible (voir plus haut, le chapitre 8). Le mode de la chronique accroît cette impression de détachement : il implique en effet un éloignement temporel et affectif par rapport aux faits évoqués.

Distance narrative et émotion

Ce ton distancié correspond chez Camus au refus de toute évocation chargée de pathos. Il évoque, par exemple, le décès de Mme Rieux sur le ton de la simple relation des faits. Aucune mise en scène dans l'annonce de cette mort, qui nous est signifiée uniquement par la réaction, décrite de façon objective, du docteur Rieux : « voilà pourquoi, sans doute, le docteur Rieux, au matin, reçut avec calme la nouvelle de la mort de sa femme » (p. 264). Le reste du récit – d'ailleurs très court – sera marqué par la même simplicité dans l'exposé des faits.

Lorsque le romancier évoque le passé sentimental de Joseph Grand, il interrompt le dialogue commencé entre Rieux et Grand, tout en indiquant que celui-ci se met « à parler d'abondance » (p. 79). Le récit de l'histoire d'amour et de la souffrance du personnage est alors fait au style indirect libre et se présente comme un résumé des propos tenus : une double distance est ainsi mise entre le lecteur et le héros qui évite tout ce qu'aurait pu comporter de mélodramatique un monologue au style direct.

Cette extrême retenue du discours du narrateur, cette pudeur dans l'expression des sentiments font ainsi jaillir de plusieurs scènes de La Peste une émotion d'autant plus intense qu'elle s'exprime avec une relative distance et une extrême sobriété.

■■■■■ LES INTERVENTIONS DU NARRATEUR

Comme dans de nombreux autres romans, le narrateur intervient dans son récit en formulant quelques jugements.

Ces « interventions du narrateur » consistent, par exemple, en des appréciations sur certains héros du livre : à propos de Tarrou, le narrateur de La Peste demande

« qu'on [ne] juge [pas] trop vite cet intéressant personnage »
(p. 29) ; ailleurs, il exprime sa grande estime pour Joseph
Grand (p. 126). Parfois son ton s'apparente à celui d'un
moraliste qui énonce des vérités générales. Il déclare ainsi
souhaiter donner à « l'héroïsme la place secondaire qui
doit être la sienne, juste après et jamais avant, l'exigence
généreuse du bonheur » (p. 129) ; il évoque la « terrible impuissance où se trouve tout homme de partager vraiment
une douleur qu'il ne peut pas voir » (p. 130). Certaines
phrases résonnent comme des aphorismes[1] : « Le mal qui
est dans le monde vient presque toujours de l'ignorance,
et la bonne volonté peut faire autant de dégâts que la mé-
chanceté, si elle n'est pas éclairée » (p. 124). Il apparaît
clairement que ces propos reflètent à chaque fois le point
de vue de Camus et que toute une sagesse s'exprime par là.

Mais, afin de garder au récit son caractère d'apparente
objectivité, Camus place sous la plume de son narrateur
des formules par lesquelles il atténue le caractère « défini-
tif » des appréciations qu'il énonce : « c'est là une idée que
le narrateur ne partage pas » (p. 124) ; ou « c'est du moins
la conviction du narrateur » (p. 125) : le caractère « objectif »
du récit est préservé par ces notations qui relativisent le
propos et laissent le lecteur apparemment libre de son jugement.

Au tout début et à l'extrême fin du livre, le narrateur use
de métaphores judiciaires : il a recueilli, nous dit-il au premier
chapitre, « un certain nombre de dépositions » (p. 14) ;
et au dernier chapitre du roman, il indique qu'il s'est senti
« appelé à témoigner à l'occasion d'une sorte de crime »
(p. 273), et précise qu'il s'agit d'un témoignage en faveur des
victimes de « l'injustice et de la violence » (p. 279). *La Peste*
constitue ainsi le dossier d'un procès, le procès du fléau,
c'est-à-dire le procès de la période de l'Occupation, c'est-
à-dire aussi le procès du Mal dans le monde.

D'une façon plus large d'ailleurs, le narrateur procède à
une dénonciation du monde tel qu'il est. Camus l'écrit
dans ses Carnets[2] : « *La Peste* est un pamphlet. »

---

1. Aphorisme : formule comportant une idée à valeur générale.
2. *Carnets II*, p.175.

■■■■■ LA VIE PERSONNELLE DU NARRATEUR

A première vue, ce narrateur anonyme ne semble pas être profondément impliqué dans l'aventure qu'il raconte. Pourtant, une lecture attentive du roman nous fait découvrir plusieurs épisodes de sa vie pendant la peste ; ceux-ci nous sont révélés aux rares moments où il quitte le ton apparemment détaché avec lequel il parle de ses « concitoyens », pour préciser ce qu'il a vécu et ressenti avec eux. Il se dévoile ainsi quelque peu. C'est le cas, pour la première fois, au premier chapitre de la deuxième partie du livre. La ville vient d'être fermée : certains Oranais tentent d'obtenir des dérogations pour entrer en communication avec ceux dont ils sont séparés. « Il fallut plusieurs jours, écrit alors le narrateur, pour que *nous nous* rendissions compte que *nous nous* trouvions dans une situation sans compromis et que les mots " transiger ", " faveur ", " exception " n'avaient plus de sens » (p. 68). Voilà qui donne à penser que le narrateur a essayé, comme d'autres, d'obtenir une faveur et de bénéficier d'une exception ; voilà aussi qui sous-entend que ce même narrateur est désormais séparé de quelqu'un, quelqu'un à qui il écrit, quoique cela risque de ne servir à rien puisque l'échange de correspondance est interdit. « Certains d'entre nous cependant, [...] s'obstinaient à écrire » précise-t-il en effet (p. 69), avant d'ajouter un peu plus loin : « Cette séparation brutale [...] nous laissait décontenancés [...]. En fait, nous souffrions deux fois, de notre souffrance d'abord et de celle ensuite que nous imaginions aux absents, fils, épouse, ou amante » (p. 70). Nous apprenons ainsi que le narrateur souffre d'une séparation. Deux pages plus loin, on comprendra qu'il s'agit d'une femme qu'il aime et qu'il a peut-être quelque chose à se reprocher : « Pour parler enfin plus expressément des amants [...] dont le narrateur est peut-être mieux placé pour parler, ils se trouvaient tourmentés encore par d'autres angoisses au nombre desquelles il faut signaler le remords » (p. 73).

Le narrateur a ainsi une histoire personnelle : on découvrira après coup que c'est celle de Rieux.

■■■■■■ LE POINT DE VUE

Le narrateur, dans *La Peste*, adopte, selon les moments, plusieurs types de « point de vue » ou de « focalisation ». Mais c'est sans doute la « focalisation externe » qui est la plus fréquente.

Il y a focalisation externe dès que le narrateur choisit de ne livrer des événements que ce qui se perçoit, se voit, s'entend de l'extérieur (en s'interdisant de décrire les sentiments et les pensées des personnages). Assez souvent, le narrateur se limite à retranscrire un dialogue ou à décrire des comportements. Le procédé lui permet ainsi de ne jamais (ou presque jamais) évoquer les réactions intérieures de Rieux, ce qui aurait pour effet de révéler trop clairement qu'il est lui-même Rieux. D'une façon plus générale, le choix fréquent de la focalisation externe correspond à la volonté de Camus de faire de son narrateur un chroniqueur « objectif » qui se limite à raconter ce qu'il a vu, entendu ou lu.

On ajoutera que le récit à focalisation externe fait naître une émotion particulière dans la mesure où les sentiments, la souffrance des personnages sont suggérés sans jamais être décrits ou analysés. Qu'on en juge par la scène d'adieu de Rieux et de sa femme qui ne comporte que la mention de gestes, de sourires, de regards et de quelques rares mots prononcés. Toute la scène de l'agonie du jeune Othon est traitée (si l'on excepte un ou deux paragraphes) de la même manière. L'émotion naît chez le lecteur à partir des réactions affectives des personnages que la scène vue suggère sans les expliquer ou les analyser.

10 Le narrateur et Rieux

■■■ LE NOM DU NARRATEUR : INDICES

Dans ses *Carnets*, Camus se proposait de montrer que Rieux était le narrateur « par des moyens de détective ». Il est vrai que le lecteur peut être surpris de découvrir, au dernier chapitre, l'identité du narrateur ; à seconde lecture, il repérera toute une série d'indices qui auraient pu le mettre sur la voie.

Indices divers

A la fin du premier chapitre, le narrateur indique que « son rôle » l'a « amené à recueillir les confidences de tous les personnages de cette chronique » : c'est le seul moment – vite oublié – où le narrateur indique ainsi avoir eu un rôle central. Or ce livre n'évoque comme personnage correspondant à cette définition – c'est-à-dire recevant les confidences de chacun – que le seul Bernard Rieux.

Ici ou là, le lecteur peut, à deuxième lecture, être sensible à d'autres indices : lorsque Tarrou brosse, dans ses carnets, un portrait de Rieux, le narrateur précise : « Autant que le narrateur puisse juger, il est assez fidèle » (p. 33), restriction qui ne peut se comprendre que si le narrateur est précisément Rieux. Plus loin, le narrateur se livre à un vibrant plaidoyer en faveur de Grand, qu'il considère comme le héros de cette histoire, et conclut par la phrase : « C'était du moins l'opinion du docteur Rieux » (p. 129).

Rieux au centre de toutes les informations

On constatera aussi que le récit est souvent structuré en fonction des activités de Rieux. En témoigne le fait que le « démarrage » des chapitres est fréquemment assuré par l'évocation du docteur. « Le matin du 16 avril, le docteur Bernard Rieux sortit de son cabinet [...] » (p. 15) ; « Les chiffres de Tarrou étaient exacts. Le docteur Rieux en savait quelque chose » (p. 35). Le plus souvent, le lecteur accompagne Rieux dans toutes ses démarches, rencontre avec lui Grand, Tarrou, Rambert, Paneloux, etc.

Mais surtout, nous ne découvrons l'activité ou les pensées de Rambert ou de Grand que dans la seule mesure où Rieux en a eu connaissance. Et Camus prend toujours soin de bien le préciser.

Ainsi, dans la deuxième partie, nous sont racontées toutes les démarches qu'effectue Rambert (en l'absence de tout autre héros du livre) pour sortir de la ville. Or, tout ce qui est raconté a été porté à la connaissance de Rieux ; c'est ce que montrent par exemple les deux incises suivantes : « Selon la classification que Rambert proposa au docteur Rieux [...] » ; « L'avantage, comme le disait Rambert à Rieux [...] » (p. 102). Voilà qui indique que Rambert a fait le récit de ses démarches à Rieux, et que c'est même ce récit-là qui est ici transposé. Ce type de notations se retrouve à chaque fois que la narration se porte sur les activités de Rambert (p. 104, 131, 139, 145).

On pourrait faire la même analyse en ce qui concerne Grand. Dès que le récit s'arrête un peu longuement sur lui, on trouve des formules comme : « Il en parlait à Rieux chaque fois qu'il le rencontrait » (p. 49). On peut en conclure que le narrateur ne peut raconter, des aventures des divers personnages, que ce qu'en sait Rieux... comme s'il était Rieux lui-même.

■■■■■ LES EFFETS DE L'ANONYMAT

Pourquoi Camus a-t-il tenu à préserver jusqu'au dernier chapitre l'anonymat de son narrateur ? A cette question, le texte romanesque apporte un élément de réponse : le narrateur indique lui-même que la discrétion sur son identité lui a permis de prendre le ton du témoin objectif et de donner plus de force à son témoignage (p. 273).

Si Camus avait choisi de confier le récit dès le début directement au personnage de Rieux, il risquait d'en faire un héros célébrant lui-même sa propre action dans un récit où inévitablement l'usage de la première personne le ferait apparaître comme se mettant lui-même en valeur. Au contraire, faire parler de Rieux par un narrateur anonyme qui s'en tient aux simples faits et n'analyse pas l'intériorité du personnage, c'était préserver chez le héros la dimension de la modestie, de l'humilité : or, pour Camus, c'est là une partie constitutive du véritable héroïsme.

Par ailleurs, parler de Rieux à la troisième personne permet de laisser dans l'ombre ses sentiments intimes, sa souffrance de « séparé ». Le narrateur évoquera, quant à lui, ses propres chagrins (qui sont donc ceux de Rieux sans que le lecteur le sache, voir p. 73) ; mais comme il s'exprime sur le mode collectif du « nous », il ne met pas au premier plan ses propres tourments mais ceux de tout un peuple. Ainsi Camus évite-t-il le « pathos » qui naîtrait de l'évocation de la souffrance personnelle du héros.

Pourquoi dès lors faire en sorte que, finalement, le narrateur et Rieux soient un seul et même personnage ? Cela présente un double intérêt.

Il est dit fort peu de choses sur ce que Rieux ressent du fait de l'absence obligée de sa femme : il semble absorbé par sa tâche de médecin. En revanche, le lecteur sait ce qu'a pu être la souffrance du narrateur, aussi discrète qu'ait été, nous l'avons vu, son expression. Apprendre que ce narrateur est Rieux lui-même confère tout à coup au héros une dimension humaine, une épaisseur romanesque supplémentaire. On découvre après coup qu'il a lui aussi fait partie de ce peuple des séparés s'épuisant en démarches inutiles, éprouvant à la fois peine et remords.

Il y a une autre valeur du procédé. La découverte finale que le narrateur et Rieux sont une seule et même personne est à la source d'un discret effet de pathétique : rétrospectivement le lecteur donne sens à une série de silences, à une série de gestes infimes qui dissimulaient, sans qu'on le sache, une intense réaction affective du héros. Et le lecteur prend alors la mesure de l'extrême pudeur du personnage qui, devenu chroniqueur, a évité de s'appesantir sur les chagrins de l'homme qu'il a été pendant la peste. Il s'est refusé à l'épanchement auquel l'aurait invité le récit à la première personne.

Significations

■■■■■ SIGNIFICATION HISTORIQUE

L'Occupation

La Peste a une signification historique : le fléau qui atteint la ville d'Oran symbolise la guerre qui, de 1939 à 1945, a frappé la France et l'Europe. Le narrateur suggère le rapprochement en écrivant : « Il y a eu dans le monde autant de pestes que de guerres. » Et la situation chronologique indiquée à la première ligne du roman précise la référence à la Seconde Guerre mondiale, même si le millésime n'est pas mentionné de façon rigoureuse.

De nombreuses séquences évoquent en effet – de façon très claire pour le lecteur de 1947 –, la période de l'Occupation. L'usage du téléphone et l'échange épistolaire deviennent presque impossibles comme ils l'étaient, pendant la guerre, en direction de la « zone libre » (p. 68). Le couvre-feu est instauré (p. 159). L'interdiction de sortir d'Oran (p. 107) évoque l'interdiction faite aux Français occupés de franchir la ligne de démarcation sans laisser-passer (p. 107) ; et il y aura, dans un cas comme dans l'autre, des tentatives d'évasion (p. 158). Des mesures sont prises par les autorités oranaises comme par les autorités françaises dans les années 1940, visant à limiter le ravitaillement et à rationner l'essence (p. 77). Et l'on assiste, dans le roman comme dans la France de l'époque, à la formation de longues queues devant les boutiques d'alimentation (p. 170). Le rationnement invite quelques commerçants peu scrupuleux à offrir « à des prix fabuleux des denrées de première nécessité » (p. 214), pratique que l'on appelait « faire du marché noir » pendant la guerre.

Le nazisme

Le roman évoque également les horreurs du nazisme. En imaginant un « camp d'isolement » mis en place dans le stade d'Oran (p. 193), Camus fait référence à tous les « camps d'internement » transitoires ou définitifs organisés par les Allemands : ainsi, au vélodrome d'hiver en 1942, furent rassemblés des milliers de juifs. « On eut l'idée d'isoler certains quartiers » (p. 156), écrit le narrateur, évoquant ainsi indirectement les ghettos où, dans certaines cités d'Europe, était contenue la population juive. Et lorsque le narrateur indique que l'on achemine des cadavres vers un « four crématoire » (p. 164), il fait une allusion patente aux fours crématoires dans lesquels les nazis avaient brûlé des milliers d'hommes, de femmes et d'enfants.

A la fin du livre, Camus évoque de façon évidente la Libération et par moments ne « transpose » plus guère : il évoque les « mères, époux et amants qui avaient perdu toute joie avec l'être maintenant égaré dans une fosse anonyme ou fondu dans un tas de cendres » (p. 267) ; un peu plus loin, il parle de ce « peuple abasourdi dont tous les jours une partie, entassée dans la gueule d'un four, s'évaporait en fumées grasses » (p. 269) ; et cette fois, le propos concerne directement à la fois le sort des victimes des fours crématoires mis en place par les nazis et celui des victimes de la peste à Oran.

Résistance et collaboration

« Le contenu évident de *La Peste*, écrit Camus, est la lutte de la résistance européenne contre le nazisme[1]. » Les Résistants avaient lutté dans la clandestinité contre l'occupant allemand : les « formations sanitaires volontaires », créées par Tarrou, combattent, en marge des autorités officielles, contre le fléau. On remarquera que les « Résistants » de *La Peste*, comme ceux de la guerre 1939-1945, voient leur nombre s'accroître au cours du temps et leur recrutement se fait aussi bien parmi les

---

1. Lettre à Roland Barthes, dans *Club*, février 1955.

athées (comme Tarrou) que parmi les croyants (comme Paneloux). La « collaboration » active n'est pas vraiment présente dans le roman ; toutefois, Cottard représente le profiteur, qui fait du trafic, et qui se réjouit de la présence du fléau. Il sera poursuivi dans le dernier chapitre du livre qui constitue un reflet de certains épisodes de l'épuration[1].

■■■■■ SIGNIFICATION MÉTAPHYSIQUE

Au-delà de son sens historique, *La Peste* revêt également une signification métaphysique : le roman met l'accent sur tout ce qui, dans le monde, est absurde (le mot est employé une fois, p. 29).

L'habitude et la répétition

C'est la vie elle-même qui, dans un certain nombre de ses manifestations, est dénuée de sens : c'est le cas chaque fois que l'homme se fige dans ses habitudes. Oran, nous dit le narrateur, est une ville où « on s'ennuie » et où on « s'applique à prendre des habitudes » (p. 12). On y travaille pour gagner beaucoup d'argent et on perd ensuite « aux cartes, au café et en bavardages » le temps qui « reste pour vivre ». Le mot « habitude » revient à plusieurs reprises dans le livre, et il est souvent donné comme synonyme d'une médiocrité, parfois consentie, parfois imposée par l'existence. Signifiant une absence de projet et d'avenir, l'habitude constitue une forme de mort.

A cet égard, la peste, une fois déclarée, ne fait qu'accentuer jusqu'à la caricature ce mode de vie répétitif. Plusieurs séquences mettent en valeur le caractère absurde d'une série de recommencements. Rambert est contraint d'écouter toujours le même disque (p. 150).

---

1. Épuration : période pendant laquelle les collaborateurs, les partisans du régime de Vichy, furent pourchassés soit par les voies judiciaires, soit de façon spontanée.

Coupés de l'extérieur, les cinémas repassent sans cesse le même film (p. 78). Une troupe qui présentait *Orphée aux enfers*, bloquée dans la ville fermée, ne cesse de jouer la même pièce chaque semaine : « Depuis des mois, chaque vendredi, notre théâtre municipal retentissait des plaintes mélodieuses d'Orphée et des appels impuissants d'Eurydice » (p. 182). Le mot « recommencer » apparaît à maints endroits du livre (p. 148, 149, 233, etc.). Cette assimilation entre fléau et habitude figée est condensée dans cette formule du narrateur : « Au matin, ils revenaient au fléau, c'est-à-dire à la routine » (p. 169).

Le recommencement peut certes avoir un caractère positif lorsqu'il s'agit d'une lutte toujours à reprendre pour donner un minimum de sens à la vie : Grand recommence sans cesse à faire sa première phrase, Rieux à soigner ses malades, Castel à chercher un sérum, Rambert à effectuer des démarches pour sortir ; la peste, dit ce dernier, « ça consiste à recommencer » (p. 149). Mais cette lutte sans cesse réitérée est en partie vaine : elle fait songer à l'activité de Sisyphe faisant continuellement rouler un rocher sur une pente montante du haut de laquelle inéluctablement le rocher redescend. C'est là un aspect de l'absence de sens de la vie humaine : la lutte est sans cesse à recommencer.

Les figures du Mal

La peste symbolise surtout le Mal dans le monde contre lequel nul ne peut rien.

● La séparation

Ce Mal réside d'abord dans toutes les « séparations » qui s'imposent aux hommes. « Faire du thème de la séparation le grand thème du roman », avait écrit Camus dans ses notes. Et, nous l'avons vu, il évoque, dans *La Peste*, les souffrances de tous les « séparés » : ceux qui ne peuvent rejoindre l'être aimé et ceux qui ont perdu définitivement un être cher, la plus grande séparation étant celle de la mort. Ceci donne une valeur toute particulière à l'évocation du personnage d'Orphée à jamais séparé d'Eurydice (voir p. 31).

• La souffrance inexplicable

Il n'est pour Camus aucune explication possible à la souffrance en ce monde. Il s'en prend à Paneloux qui explique aux Oranais « qu'ils étaient condamnés pour un crime inconnu, à un emprisonnement inimaginable » (p. 96). C'est ici l'idée du péché originel[1] que l'auteur de La Peste conteste totalement.

Cette présence du Mal, vécue comme une fatalité qui pèse sur l'homme, est illustrée par le récit de la mort du petit Othon : le fléau a frappé un innocent et chacun le vit comme un scandale. Quel sens a un monde qui permet la mort d'un enfant dans d'atroces souffrances ? Camus refuse toute signification à ce monde et repousse donc toute foi en Dieu : « Je refuserai jusqu'à la mort, dit Rieux, qui est ici son porte-parole, d'aimer cette création où des enfants sont torturés » (p. 199). Le médecin ne peut conclure qu'à l'inexistence de Dieu et à l'absurdité de l'univers.

Le tragique de l'absurde

Le récit tragique peut se définir comme celui d'une lutte, toujours recommencée et toujours vaine, contre des forces hostiles et écrasantes. Chez Camus, le tragique prend la figure de l'absurde, sous toutes les formes que nous venons d'évoquer. Apparemment, les hommes de La Peste remportent la victoire ; mais certains héros sont écrasés : Tarrou meurt – ironie tragique –, au moment où la maladie est vaincue ; Rieux a tout perdu : ami et femme aimée. Et surtout, « le bacille de la peste ne meurt ni ne disparaît jamais » (p. 279). La fin de La Peste ne constitue jamais qu'un moment de rémission. Le Mal persiste dans le monde.

Mais l'univers de La Peste n'est pas pour autant désespéré. C'est la révolte contre l'absurde qui donne sens, et raison de vivre, et dignité aux héros camusiens (voir le chapitre 12).

---

1. Péché originel : faute commise par Adam et Éve et qui est à l'origine d'une punition qui s'étend à toute leur descendance.

■■■■ LA CRÉATION
D'UN MYTHE

L'image du fléau

Si le récit de la peste à Oran est porteur de significations, il tire sa puissance évocatoire des images qu'il dé-
ploie. A cet égard, Camus joue avec le double sens du mot
fléau : le sens figuré qui désigne la peste, calamité qui
s'abat sur un peuple, mais aussi le sens propre : le fléau
est en effet un instrument à battre les céréales, composé
de deux bâtons liés bout à bout. C'est le père Paneloux qui
utilise le premier l'image dans son sermon, lorsqu'il
évoque « l'immense pièce de bois tournoyant au-dessus
de la ville » (p. 93). Et la ville d'Oran fait entendre un sifflement sourd qui rappelle de temps à autre à certains de ses
habitants cette image de « l'invisible fléau qui [brasse] inlassablement l'air chaud » (p. 97). L'image de l'immense
pièce de bois tournoyant au-dessus de la ville, accompa-
gnée de la mention d'un « bizarre sifflement » (p. 98) reviendra à plusieurs reprises dans le livre (p. 173), et impo-
sera l'idée d'une force maléfique qui menace la ville
entière.

L'image des monstres légendaires

La puissance du fléau est également figurée par l'assimilation que l'auteur en fait avec des monstres de l'Antiquité :
nouveau minotaure, la peste dévore son « tribut chaque
soir » (p. 165). Ici elle « reprend son souffle » (p. 112), là
elle semble « s'éloigner pour regagner la tanière inconnue
d'où elle était sortie en silence » (p. 249). Cet être maléfique doté d'une vie monstrueuse étend sa puissance sur
toute la ville d'Oran : elle « mettait des gardes aux portes
et détournait les navires qui faisaient route vers Oran » (p.
76). Et elle réunit toutes ses forces pour les jeter sur la
ville et s'en emparer définitivement (p. 131). Ailleurs, le
narrateur donne au fléau le nom de « l'ange de la peste »,
signalant par là ses accointances avec les forces diabo-
liques. Et c'est enfin l'image du dragon légendaire qui
marche impitoyablement vers sa victime en crachant le feu,

que l'on trouve au début du chapitre 7 de la quatrième partie : « elle flamba dans les poitrines de nos concitoyens, elle illumina le four, elle peupla les camps d'ombres aux mains vides, elle ne cessa d'avancer de son allure patiente et saccadée » (p. 233).

La dimension cosmique du fléau

Le récit frappe peut-être encore davantage les imaginations en donnant à la peste la puissance déchaînée des éléments de l'univers : « pluies diluviennes » qui « s'abatt [ent] sur la ville » (p. 35), soleil implacable et « grand vent brûlant » (p. 106) accompagnent, comme des auxiliaires, les manifestations du fléau. Au moment où la peste domine toute la cité, en plein mois d'août, « au sommet de la chaleur et de la maladie » (p. 155), le vent se lève et souffle pendant plusieurs jours, la mer se soulève. Alors, nous dit le narrateur, « cette ville déserte, blanchie de poussière, saturée d'odeurs marines, toute sonore des cris du vent, gémissait [...] comme une île malheureuse » (p. 156).

C'est l'image d'une cité écrasée par les éléments mobilisés contre elle, par la force invisible du fléau, qui frappe l'imagination du lecteur. Ce déchaînement de l'univers contre toute une cité peut évoquer les malédictions divines des légendes antiques ou de l'Ancien Testament : il signifie pour Camus qu'une fatalité écrase l'homme.

En imaginant le Mal dans le monde, sous la forme d'une maladie implacable, la peste, assimilée à un monstre dont la puissance a des dimensions cosmiques, Camus a créé un mythe.

Le motif de la prison

En s'abattant sur la ville, la peste a fait d'elle une prison. L'image de la prison constitue bien un « motif » de l'œuvre puisqu'on la retrouve à plusieurs reprises dans le livre. La cité d'Oran « ramassée sur elle-même » est prédisposée à devenir un lieu de claustration, et les habitants, souffrant parfois du climat, s'y sentent « un peu prisonniers du ciel » (p. 36). Mais l'emprisonnement devient réalité, lorsqu'on est contraint de fermer la ville. Les Oranais, « conscients d'une sorte de séquestration sous le couvercle du ciel où l'été commençait de grésiller » (p. 96), tentent soit de s'adapter à la « claustration », soit de « s'évader de cette prison » (p. 96). Tous, en tout cas, deviennent des « prisonniers » de la peste (p. 71, 155) qui « se débatt [ent] » comme ils peuvent.

On le voit, les termes de prison (p. 96), de séquestration, de réclusion (p. 96), de claustration évoquent toutes les facettes de cette réalité constitutive de la condition humaine selon Camus : l'emprisonnement. Ce thème est suffisamment important pour que le romancier ait tenu à mettre en épigraphe à son livre une citation de Daniel Defoe qui l'évoque : « Il est aussi raisonnable de représenter une espèce d'emprisonnement par une autre que de représenter n'importe quelle chose qui existe réellement par quelque chose qui n'existe pas. » La formule exprime bien l'idée que le livre, dans son ensemble, va représenter un emprisonnement : celui de l'Oranais dans sa ville, certes, mais aussi celui de l'homme prisonnier sur cette terre, c'est-à-dire victime d'une condamnation (à la souffrance, à une vie dénuée de sens, à une mort inexplicable). La prison, ici, c'est la condition humaine.

Ainsi une ville aux portes fermées (comme les cités de la tragédie antique) constitue le lieu clos d'une tragédie moderne : celle de l'homme accablé par une fatalité qui le dépasse, victime du mal qui frappe le monde de façon absurde – que ce mal soit lié à l'Histoire (le fascisme) ou à la nature même de la condition humaine.

La Peste est avant tout un roman. Les idées qui peuvent y être exprimées le sont de façon proprement romanesque : c'est-à-dire au moyen de dialogues où les points de vue peuvent s'affronter de manière vivante, au moyen aussi de séquences qui comportent une charge émotionnelle. Ceci fait de *La Peste* tout autre chose qu'un roman à thèse ; c'est un récit où le lecteur peut être invité à la méditation à partir de scènes concrètes, à valeur dramatique ou pathétique, donc à vertu éminemment romanesque. Cela dit, à travers l'intrigue, le romancier propose une méditation sur quelques-unes de ses préoccupations essentielles. Transparaissent ainsi dans le récit les éléments d'une éthique.

■■■■■ LANGAGE ET INCOMMUNICABILITÉ

L'incommunicabilité

Camus à travers ses personnages refuse tous les faux-semblants et fait de la recherche de l'authenticité une exigence morale : celle-ci s'exprime à travers un certain usage du langage. Nous avons étudié la façon dont Camus procède à une satire du langage inauthentique, dénonçant dans un certain nombre de types de discours leur totale inadéquation au réel (voir p. 49).

En même temps, Camus est conscient de ce que le langage n'est pas facilement adéquat aux situations. Il ironise d'abord à propos des commentaires, venus de la Métropole,

---

1. Éthique : ensemble d'idées ou de convictions qui règlent une conduite.

qui prennent un « ton d'épopée ou de discours de prix »
(p. 130). Mais il reconnaît en même temps que la pitié ne
peut se dire que « dans le langage conventionnel par lequel
les hommes essaient d'exprimer ce qui les lie à l'humanité » ;
et le narrateur indiquera que « des voix inconnues et frater-
nelles s'essayaient maladroitement à dire leur solidarité et la
disaient, en effet, mais démontraient en même temps la terrible impuissance où se trouve tout homme de partager vraiment une douleur qu'il ne peut pas voir » (p. 130).

Cette incommunicabilité constitue une caractéristique
de la condition humaine. Le roman en rend compte de
façon concrète et imagée en indiquant qu'à Oran, l'échange
de lettres est désormais impossible. Cela force les « séparés » à tenter quand même d'envoyer une missive à l'être
aimé ; mais ne recevant pas de réponse, ils en sont réduits
à recommencer sans cesse la même lettre « si bien, écrit
le narrateur, qu'au bout d'un certain temps, les mots qui
d'abord étaient sortis tout saignants de notre cœur se vi-
daient de leur sens » (p. 69). Le seul moyen de communication qui reste aux Oranais, c'est le télégramme où « de
longues vies communes ou des passions douloureuses se
résumèrent rapidement dans un échange périodique de
formules toutes faites comme : « Vais bien. Pense à toi.
Tendresse » (p. 69).

Plus profondément, Camus considère que l'émotion et
la souffrance ne sont guère traduisibles par les mots parce
que les hommes ne disposent que d'un langage utilitaire,
conventionnel que le romancier appelle « la langue des
marchés » (p. 75). Si bien que les « douleurs les plus
vraies » se traduisent « dans les formules banales de la
conversation » (p. 75).

Cette inaptitude du langage à communiquer les émotions
et les sentiments authentiques explique tout le prix que
Camus donne aux moments de silence qui réunissent par-
fois deux êtres liés par l'amitié ou l'affection : silence entre
Tarrou et Rieux au moment du bain de mer ; silence entre
Rieux et sa mère lorsqu'ils se retrouvent le soir.

La recherche du mot juste

Connaissant les limites du langage, le narrateur use souvent d'expressions comme « il est possible de le dire » ou

« en un sens », « on peut bien dire », avant d'utiliser un terme lourd de significations : ainsi dira-t-il de Grand qu'il avait accepté l'offre qui lui était faite « pour des raisons honorables et, si l'on peut dire, par fidélité à un idéal » ; il précise que, « dans un certain sens, on peut bien dire que sa vie était exemplaire » (p. 49). Il s'agit ici de s'entourer de précautions avant d'utiliser un mot plein de sens : les formules apparemment restrictives donnent du poids à l'emploi des termes « idéal » ou « exemplaire ».

Les personnages eux-mêmes évitent de galvauder le langage : Rambert, voulant expliquer son désir de quitter la ville pour rejoindre celle qu'il aime, évite d'utiliser le mot « amour » et préfère dire « elle et moi nous sommes rencontrés depuis peu et nous entendons bien » (p. 83). Grand passe beaucoup de temps (lorsqu'il travaille à la première phrase de son roman) à chercher le mot juste. A première vue, c'est là un ridicule du personnage. En fait, dans sa vie comme dans son travail d'écriture, il recherche désespérément le mot juste parce qu'il refuse l'abus de langage ; et il sait, comme Camus, que « appeler les choses par leur nom » « ce n'est pas si facile » (p. 45). Cette caractéristique constitue l'un des éléments de la grandeur de ce héros si humble et apparemment si ridicule : en ce domaine, Camus nous invite à une lecture au premier degré, qui nous fait sourire du personnage, et à une lecture au second degré qui appelle notre estime.

■■■■■ LE VÉRITABLE HÉROÏSME

L'exigence d'authenticité imprègne la conception que se fait Camus de l'héroïsme. Le héros n'est pas celui qui effectue en un moment privilégié une « belle action » dont un narrateur se ferait le chantre au risque de la dénaturer. L'exemple de l'héroïsme se trouve dans le personnage de Joseph Grand. Il y a bien sûr un paradoxe à faire de ce modeste employé de mairie, qui passe son temps à des tâches ordinaires et répétitives et qui paraît ridicule à bien des égards, le héros du livre. Son patronyme même semble, au premier abord, l'effet d'une dérision de l'auteur. Mais, à la vérité, il y a une réelle grandeur de Joseph Grand. Sa grandeur tient à son authenticité ou à sa sincérité :

il ne rougit pas d'évoquer des sentiments vrais et les émotions simples qu'il éprouve (p. 49). Sa recherche du mot juste semble contradictoire avec l'utilisation fréquente qu'il fait des clichés dans la conversation avec le commissaire (p. 37) ou dans la rédaction de sa première phrase de roman. Mais sa grandeur est précisément dans son insatisfaction devant les mots qu'il trouve, qui témoigne de la conscience qu'il a des limites du langage.

Sa grandeur vient surtout de la bonté profonde qui l'habite et qui lui fait accepter une tâche peu gratifiante mais utile dans les « formations sanitaires » de Tarrou. Elle vient aussi de son humilité, qui va de pair avec son exigence de dignité. Elle vient enfin de l'exigence qui est la sienne de poursuivre un idéal qui – si modeste soit-il, si ridicule puisse-t-il au premier abord apparaître – lui permet de donner sens à son existence.

■■■■■ LA RÉVOLTE

Le refus de la condamnation à mort

L'une des leçons du livre se trouve dans le refus de changer le monde par la révolution et l'action violente. Ce refus est exprimé par Tarrou lorsqu'il affirme son hostilité à toute forme de condamnation à mort. Il décide de « refuser tout ce qui, de près ou de loin, pour de bonnes ou de mauvaises raisons, fait mourir ou justifie qu'on fasse mourir » (p. 228). Compte tenu de l'époque de la publication de *La Peste*, on lit là une désapprobation du communisme qui, un temps, avait tenté Camus. Désapprouvant la révolution, Camus revendique la nécessité de la révolte.

La solidarité

Nous avons indiqué[1] que *La Peste* appartenait au groupe d'œuvres que les critiques, après Camus, appellent « le cycle de la révolte ». Il ne s'agit pas ici d'une révolte,

---

1. Voir ci-dessus, p. 18.

au sens courant du terme qui consisterait en une manifestation violente et brève d'opposition. Il s'agit d'un refus délibéré d'accepter passivement le sort qui est fait à l'homme. Face au non-sens de la vie, face au malheur qui frappe l'homme, il convient de lutter quotidiennement comme le font Rieux, Tarrou ou Grand.

Par cette lutte, l'homme trouve les valeurs de la solidarité. « Il faut bien s'entraider », avait dit très simplement Grand en acceptant de passer la nuit auprès de Cottard qu'il ne connaît guère (p. 25). Et, les uns après les autres, les héros du livre – en dehors de Cottard – vont s'engager dans la lutte contre la maladie. Pour Rieux, il s'agit de bien faire son métier, son métier de médecin, mais aussi son métier d'homme. Il estime – comme Grand – devoir « faire ce qu'il [faut] » (p. 84, 129). Rambert finit par éprouver cette nécessité de la solidarité au moment où il pourrait s'évader pour rejoindre la femme aimée. C'est qu'il a pris conscience que la peste les concerne tous (p. 190) et qu'il « peut y avoir de la honte à être heureux tout seul » (p. 190).

Cet exercice de la solidarité et de la responsabilité, Rieux se refuse à exiger des autres qu'ils le pratiquent : il ne songe pas à transformer son éthique personnelle en règles de morale généralisables ; les autres personnages du livre viennent librement lui proposer leur aide. Et quand Rambert propose de rester pour l'aider en lui demandant pourquoi, lui aussi, Rieux a fait le choix de partager le malheur des hommes plutôt que de vivre le bonheur, Rieux lui répond qu'il ne le sait pas. La sagesse est empreinte de modestie ; il répond à plusieurs reprises dans le livre qu'il ne sait pas.

La dignité

Mais ce que trouvent les héros dans leur refus de la résignation, dans leur résistance au Mal, dans la révolte contre leur condition, dans leur libre exercice de la solidarité et de la responsabilité, c'est l'affirmation de leur dignité d'homme. Rieux sait que toute victoire est provisoire, qu'au bout du compte la révolte sera vaincue ; mais elle n'est pas vaine puisque l'homme y trouve, au-delà de la force de la solidarité, l'affirmation de sa dignité.

■■■■■ L'HUMANISME

Le bonheur

Peut-être la conception camusienne du bonheur est-elle une partie constitutive de son humanisme. Camus met l'homme (et non la société) au centre de ses préoccupations. Il fera dire à Rambert qu'il se refuse à mourir pour une idée.

Le narrateur, parlant visiblement au nom de Camus, affirme qu'il faut donner à l'héroïsme « la place secondaire qui doit être la sienne, juste après, et jamais avant l'exigence généreuse du bonheur » (p. 129). La formule est dense, elle légitime la recherche du bonheur ; mais elle élimine de la quête de l'homme camusien la recherche d'un bonheur égoïste et égocentrique. Le geste de Rambert qui renonce « à être heureux tout seul » pour prendre sa part dans le combat commun, illustre bien cette conception.

Quant à la nature de ce bonheur, elle réside dans l'expérience des joies simples (et peut-être fugaces) mais intenses, comme l'émotion née de la musique d'une cloche familière (p. 49), ou comme les sensations goûtées au contact de l'eau de la mer (p. 231-232), dans la saveur d'une communication silencieuse partagée entre deux amis (p. 231-232), dans la tendresse, dans la confiance et la joie vécues dans l'amour.

La foi dans l'homme

Ce que Camus affirme enfin avec force dans le roman, c'est sa foi dans l'homme : ne pas témoigner de cette confiance, ce serait rendre « un hommage indirect et puissant au mal ». Il s'affirme – par la voix du narrateur – convaincu que les hommes sont « plutôt bons que mauvais » et que « le mal qui est dans le monde vient presque toujours de l'ignorance » (p. 124). On remarquera que presque tous les héros de *La Peste* sont, à cet égard, des héros positifs et que, en tout état de cause, Camus refuse d'en condamner aucun. S'il exerce au début du roman quelque ironie à l'égard de Paneloux, dont il regrette l'éloquence inadéquate et à l'égard du juge Othon dont il déplore la rigidité peu humaine, il fait ensuite évoluer ces deux personnages vers plus d'humanité, de complexité, et au total de générosité. Quant au seul personnage négatif du roman, Cottard, il l'analyse comme un homme qui avait « un cœur ignorant, c'est-à-dire solitaire ». Et il lui reproche un crime : celui « d'avoir approuvé dans son cœur ce qui faisait mourir des enfants et des hommes ». C'est là un constat mais Camus ne s'érige pas en donneur de leçons.

Refus de croire en l'existence d'un Dieu, affirmation de la nécessité d'une action solidaire, foi en l'homme pourvu qu'il soit suffisamment éclairé, revendication de la modestie et de la dignité de l'individu, telles sont, à gros traits, quelques caractéristiques de ce que l'on peut appeler l'humanisme de Camus ; ce n'est pas l'humanisme optimiste triomphant des écrivains du XVIe siècle ; c'est un humanisme moderne marqué par la générosité en même temps que par la conscience du tragique de la destinée humaine.

ÉLÉMENTS DE BIBLIOGRAPHIE

Biographie

– Lottman, Herbert R., *Albert Camus* (Éd. du Seuil, coll. « Points », 1985).

– Grenier Roger, *Albert Camus soleil et ombre* (Gallimard, 1987).

Étude d'ensemble

– Quillot Roger, *La Mer et les prisons, essai sur Albert Camus* (Gallimard, 1970).

– Forest Philippe, *Camus* (Éditions Marabout, coll. « Œuvres majeures », 1992).

– Grenier Roger (voir *op. cit.* plus haut).

Études sur *La Peste*

– Albert Camus 8 : Camus romancier : *La Peste, Revue des Lettres modernes*, 1976.

– Dossier concernant *La Peste* dans la revue *Roman 20-50*, n°2, 1986.

– Jacqueline Levi-Valensi, *La Peste d'Albert Camus*, (Gallimard, coll. « Foliothèque », 1991).

INDEX DES THÈMES ET DES NOTIONS

Les références renvoient aux pages du « Profil ».

Achevé d'imprimer par EMD S.A.S. à Lassay-les-Châteaux - France
N° d'impression : 27535 - Dépôt légal : 74075 - 6/13 - Décembre 2012